メタバースで僕たちのコミュニケーションはこんなふうに変わる

佐藤浩之

日本実業出版社

はじめに

　本書を手に取ってくださり、ありがとうございます。

　あなたは今、どのような期待を胸にページを開いているので
しょうか?

　仕事やプライベート、大切な人との関係性……。

「もっとこうしたい」という想いがメタバースで解決できるので
はないか?　でもテクノロジーに詳しいわけではないし、どうし
たらいい?　そんな不安をお持ちかもしれません。

　ですが大丈夫。メタバースは温かくやさしいものだから。

　私は株式会社Ridgelinez(リッジラインズ)というDXファーム
で、「イノベーション・アンド・ビジネスクリエイション」とい
うチームを立ち上げました。

「クリエイション」という名前の通り、私たちは最先端のテクノ
ロジーを使ってイノベーションを「生み出す側」の人間です。

　生み出すといっても、自分たちでつくるわけではありません。
クライアントと一緒に0→1の発想をつくり出していくのです。
一緒に育てていく、という感覚に近いでしょうか。

「一緒に育てる、つまり共感を生み出すコミュニケーションこそ
が変革のキーワードではないか」とRidgelinezでの活動を通して、
私はコミュニケーションのパラダイムシフトの兆しを日々感じる
ようになりました。それがここ最近の話です。

　時を同じくして登場したのが、「メタバース」というバズワー
ドです。コロナ禍という未曽有の事態が世界を襲い、社会は大き

く変化し、予想もできないスピードでリモート化が進みました。商談、社内会議、学校の授業と今までは対面があたり前とされていたものが、一気にオンラインによるコミュニケーションに変わったのです。

　さらに、対話型AI（人工知能）「ChatGPT」という新サービスも世界を席巻しています。ちょっとドキドキしながら、この本のタイトルにちなんで、「メタバースで僕たちのコミュニケーションはどう変わると思いますか？」とChatGPTに聞いてみました。

13:54 　　　　　　　　　　．ıll 4G

＜　　メタバースで僕たちのコミ…　🎤　↻　⋯

か？ なぜ世界中の企業や投資家たちがメタバースに注目しているのか？主な用途としては

メタバースで僕たちのコミュニケーションはどう変わりますかという質問には、一概に答えることは難しいですが、メリットとデメリットがあります。メリットとしては、以下のような点が挙げられます。

以上からわかるように、「メタバース」は、「僕たち」それぞれに異なる影響を与えるものです。あなたはどんなメタバース空間でどんなコミュニケーションを取りたいですか？

🖌　　何でも聞いてください…　　　🎤

最後の一文に注目してみてください。

「あなたはどんなメタバース空間でどんなコミュニケーションを取りたいですか?」

　まるで誰かとお話ししているかのような、とてもおしゃれな締めくくりですね。

　ところで、どうでしょう。なかなかこの質問に、しっかり自分の考えで答えられる人は少ないのではないでしょうか?

　そもそも「メタバース空間」と聞いて、どのような場所をイメージしますか?

　ゲームのような没入感を楽しむ空間やオンライン上の街を歩いてお買い物をするような仮想空間かもしれません。ですが私は、リアル空間で使用する、ZoomやTeamsのようなウェブ会議システム、InstagramライブやYouTubeライブのようなソーシャルメディアもメタバース空間の1つと捉えています。

　そしてこのメタバースの登場こそが、人々のコミュニケーションを変えるパラダイムシフトのチャンスだとワクワクしているのです。

　ウェブ会議システムのようにごく身近なものもメタバースだと考えると、少しとっつきやすくなるのではないでしょうか。そう、メタバースは何か専門的な知識がなければ使えないものではなく、ナチュラルにあなたのそばに寄り添うものなのです。

最先端のテクノロジーという観点でメタバースを語る書籍は数多くありますが、魅力はそれだけではないはず。本書で私があなたに伝えたいのは、メタバースは「温かくやさしい社会を生み出すもの」だということです。

　──社会のしがらみから抜け出して、新しいコミュニティをつくり出せる社会。

　──住んでいる場所や身体的なハンディを飛び越えて、誰もがフラットに力を発揮できる世界。

　──なりたい自分を創造し、思いのままに生きていける社会。

　決して私の理想論だけを語る本ではありません。本書では、すでに日本や世界各地で着々と進むメタバースの活用例をたくさんご紹介します。どうか身近なものを楽しみながら取り入れてみてください。

　あなたが本書を読み終えたとき、
「明日は一歩前進できる気がする」
　そんな希望を感じていただけたら幸いです。

　2023年4月

　　　　　　　　　　　　　　　　　　　　　　　佐藤浩之

CHAPTER 3 親子や世代の壁を超える
年齢を問わないコミュニケーション

CHAPTER

6 メンタルの壁を超える
共感から始まるD&I

Q
「自分は少数派だ」と感じることはありますか?

「男らしさ・女らしさ」とは何だと思いますか?

自分をもっと好きになりたいと思うことはありますか?

Q
全く別人になれるとしたら、何がしたいですか?

自分の容姿や性別のせいで我慢していることはありますか?

対面だと緊張して上手く話せないと感じたことはありませんか?

CHAPTER 7 フィジカルの壁を超える
リアルとバーチャルが1つになる世界

CHAPTER 8 行政・慣習の壁を超える
自由な組織運営と街づくり

○ カバーデザイン／上坊菜々子

○ イラスト／るるん

○ 本文デザイン・DTP／浅井寛子

○ 編集協力／杉野遥（Matou）

1

ネオ・メタバース

– メタバースは生活にどう影響する? –

「メタバース」には、どのようなイメージがありますか？

VRゴーグルを使用して楽しむゲームやイベント、
「バーチャル渋谷」やNFTを使用した商品販売など
バーチャル空間をイメージされる方が多いのではないでしょうか？
まだ明確なイメージがないという方もいらっしゃるかもしれません。

私は、メタバースは大きなコミュニケーションの
パラダイムシフトのチャンスと捉えています。
2000年前後から、テクノロジーの急速な進化がもたらした
コミュミケーション文化の劇的な変化を、
私は20年以上見続けてきました。
そして、2019年ごろからコミュニケーションという観点で
「メタバース」がどのような変革をもたらすか、人々の生活や
ビジネスにメタバースはどのような与えるインパクトは
どのようなものか、検証しています。

ここでは、現在「メタバース」と捉えられているもの
について、解説していきます。これまでの認識よりも、
メタバースが身近なものだと感じてもらえるはずです。

インターネット社会の一歩先へ

Q | あなたが実現したいことを想像しながら答えてみてください

・メタバースはどのように使うものか理解していますか？
・メタバースにはどのような可能性があると考えていますか？

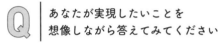

！ | メタバースで実現できること

現実世界とシームレスにつながることができ、
ビジネスの世界だけでなく
1人ひとりの生活にポジティブな変化をもたらす

従来のメタバースの定義

　ほんの30年ほど前まで、メタバースは空想上の存在でした。メタバースという言葉が産声をあげたのは1992年のこと。アメリカの作家ニール・スティーヴンスンが発表した『スノウ・クラッシュ』というSF小説の中に登場しました。

　作品中では「仮想の三次元空間」を指す言葉として使われ、メタバースの語源は「Meta（高次）」と「Universe（宇宙）」だといわれています。そして今、一般的に使われているメタバースの定義も『スノウ・クラッシュ』をベースとしたものです。

　メタバースはさまざまな機関や人物によって定義づけされています。例えば、『MITテクノロジーレビュー（マサチューセッツ工科大学によって創設されたテクノロジー誌）』では「メタバースは、一般的なインターネットとは対照的に、複数のユーザーが共有する3D（3次元）の没入型環境であり、アバターを介して他のユーザーと交流できる」と語られています（MITテクノロジーレビューより抜粋）。アマゾン・スタジオ元戦略責任者であり、投資家のMatthew Ball（マシュー・ボール）氏は「リアルタイムでレンダリングされた3Dバーチャル世界の、大規模で相互運用可能なネットワークで、実質的に無制限の数のユーザーが同時かつ持続的に体験できるもの」と説明しています。

　メタバースの大枠的な特徴をシンプルにまとめると「永続性」と「現実世界との同期性」だといえます。永続性とは、リセット

や一時停止が効かない世界であること。終了という概念もありません。そして現実世界との同期性とは、現実世界と同じように、すべてのユーザーが同じ時間軸で生活・体験をするということです。

　あなたが、とあるメタバースの世界で生活をしていて、いったんログアウトしたとしても、メタバースの世界の時間は流れ続けています。久しぶりにログインしてみると新しい住民が増え、見たこともない建物ができているかもしれない。浦島太郎のような状態になるのです。

メタバースでは何ができる？

　こうした現実世界とシームレスにつながるメタバースは、インターネットに続く次世代インフラとして、世界中の注目を集めています。そして技術の進化により、従来のインターネット社会では不可能とされていた、さまざまな活動が可能になるのです。

　メタバースではいったい何が可能になるのか？　期待されているメタバースの可能性についてポイントをまとめました。

メタバースの可能性

・人数無制限
メタバースの世界では誰もがいつでもイベント、場所、活動などを共有できる。

・経済圏の存在
販売、購入、投資、所有といった概念が存在することにより、メタバースの世界で仕事が生まれる。

・現実世界のつながり
メタバースの世界と現実世界は切り離された存在ではなく、人々の生活の一部としてゆるやかにつながる

・メタバースの世界同士のつながり
さまざまなメタバースの世界の間で、ユーザーが作成したIP（知的財産）やブランドなどが取引できる

・UGC（User Generated Contents）の存在
ユーザーが能動的かつ自由にコンテンツを生み出せる。そして自由に持ち歩くことができる。

　メタバースの可能性が花開くことによって、ビジネスの世界はもちろん、1人ひとりの生活も大きな変革が訪れます。
　メタバースで私たちの生活にどのような変革が起こるのか、見ていきましょう。

現実のものとなった
メタバース

 あなたが実現したいことを
想像しながら答えてみてください

・「メタバース＝バーチャル空間」だと思っていませんか？
・私たちの生活はどのように変わっていくと考えていますか？

 メタバースで
実現できること

バーチャル空間だけでなく、
現実世界での表現の幅が広がり
コミュニケーションが多様化する

メタバースが変える風景

　新しい刺激と感動を与えてくれるメタバースは、さまざまな場面で、私たちの日常に溶け込みつつあります。

　すでに身近で実現している例を挙げてみましょう。有名な事例としてはオンラインゲーム「フォートナイト」で開催された、トラヴィス・スコットのコンサートです。リアルタイムで同時参加したユーザー数は2000万人以上にも上りました。東京ドームのキャパシティがだいたい４、５万人程度、ロンドンのウェンブリースタジアムでも６万人程度だということを考えると、現実世界とは桁違いのコンサートがメタバース上では開催できるということがわかります。

　またここ数年で注目を集めているNFT（非代替性トークン）もメタバースの可能性を語るには欠かせない存在です。

　従来の動画や画像、テキストデータなどのデジタルコンテンツとNFTの違いについて、ゲーム内でアバターを購入したときを例に説明しましょう。アバターを購入した時点であなたが所有しているかのように感じますが、実際に所有している、つまり著作権を持っているのはゲームのプラットフォーマー（ゲームの基盤をつくっている人）側です。

　ところがNFTの登場によって、デジタルコンテンツが唯一無二のものとなり、ユーザーが所有できるようになりました。将来的には、あなたが所有するアバターをいくつもの異なるゲームの中で使うことも可能になるでしょう。

ワクワク感満載！　人気ブランドのメタバースマーケティング

　人気スポーツブランドのナイキは、いち早くメタバースをマーケティングに取り入れた企業の１つです。ファンを楽しませ、共感してもらうことを重視する取り組みは「売ろうとしない」ユニークなマーケティングです。３つほど、ナイキの取り組みをご紹介します。

【１】NIKELAND

　2021年にオンラインゲーム「ROBLOX（ロブロックス）」上で、ナイキの世界観を表現した没入型の３Ｄ空間「NIKELAND」をつくりました。「NIKELAND」では、アバター同士で鬼ごっこやドッジボールなどのミニゲームが楽しめるほか、ショールームで展示されているナイキ製品はアバター用に購入し、身に着けられます。さらには、スマートフォンの加速度センサーなどを通じてプレイヤーの現実の動きをゲームに反映し、現実世界と連動させることも可能です。

【２】スニーカーNFT

　アバターに履かせるバーチャルスニーカーの人気ブランド「RTFKT（アーティファクト）」を買収し、バーチャルスニーカーをNFTコンテンツとして大々的に販売しています。

　2022年12月にはスニーカーNFTを購入すると実際に着用できる実物のスニーカーも手に入るというRTFKTとナイキ商品のコラボ商品も発表されました。（商品名：クリプトキックス iRL）。

【3】映画の追体験

SF映画の中で主人公が履いていたシューズが現実のものになる！　そんな感動を形にしたのが2016年に発売された「ナイキ　ハイパーアダプト1.0」です。

モチーフは、1980年代に世界的にヒットした『バック・トゥ・ザ・フューチャー2』で主人公が履いていたシューズ「Nike Mag」。主人公が1985年の現代から2015年の未来へタイムリープした際に手に入れたシューズで、足を入れるだけで自動的に靴紐が締まるという近未来型アイテムでした。

映画の中で主人公がタイムリープした年代に合わせて2016年に発売したのも、SF映画と現実が融合したような感覚が味わえることで、ファンの心をくすぐりました。

SF映画もバーチャル空間の1つと捉えると、こうした取り組みもメタバースの活用だといえます。

「メタコミュニケーション」という新たなフレームワーク

小説の世界を飛び出し、現実のものとなったメタバース。実現可能なメタバースの特徴や事例をご紹介してきましたが、メタバースが持つすべての可能性を語るために、私は新しいフレームワークが必要だと考えました。

メタバースというと「バーチャル空間」といったイメージが一般的ですね。現実とは別の、新しい世界で別の自分として生きていく世界、空間の拡張ともいえるでしょう。ですが、それはメタバースの1つの側面でしかありません。

あなたはあなたのままで、現実世界の生き方すらも変えられる。メタバースにはそうした側面もあるのです。

　そこで私が考えたのが、「メタコミュニケーション」というフレームワークです。メタバースを空間の拡張だけでなく、コミュニケーションの拡張という視点で捉えています。

　先述したメタバースの可能性には1つの共通点があります。それは物理的な制約を超えて、コミュニケーションの幅を広げるということ。メタバースが私たちに与えるもっとも大きなインパクトとは「コミュニケーションのパラダイムシフト」といえるのです。この大変革こそがウェルビーイングを叶える大きな可能性を秘めています。

　メタバースの可能性を実感していただくために重要なのは、「バーチャル世界と現実世界の一体化」という点です。そして現実空間とバーチャル空間が折り重なる空間が存在し、そこで私たち人間が営むコミュニケーション。このハブとなる部分を「メタコミュニケーション」と名づけ、1つの空間として考えます。

メタコミュニケーション構想

バーチャル空間と現実空間が折り重なる空間が存在し、
そこで行なわれるコミュニケーションを「メタコミュニケーション」と呼ぶ

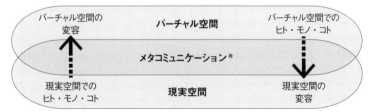

　バーチャル世界と現実世界をどのように結びつけるのか？　具体的な例で見てみましょう。

　ソーシャルディスタンスが求められたコロナ禍では、エンターテイメント業界にも大きな変化が起きました。例えば音楽業界ではコンサートやイベントの人数的な制限や、延期などが発生し、アーティストとファンとの接点が減少。ファンとのコミュニケーションに工夫が求められました。

　その中でさまざまなアーティストが取り入れたのがInstagramを使った「インスタライブ」です。私の好きな男性アーティストの場合は、コンサート開始前に数分間、インスタで状況を生中継してくれたり、時にはギターを片手に一曲披露してくれたり、というサプライズで、ファンを楽しませてくれました。
　インスタライブであれば、リアルタイムでコミュニケーションが取れます。メッセージを送る、ハートマークを飛ばす、といったファンからのアクションにアーティストが反応してくれる。他のファンからの反応を見ていると、一緒に参加している一体感もあります。

　インスタライブはインターネットで結ばれた、ある意味バーチャルな空間で起きていることですが、非常に手ざわり感のある体験でした。物理的には遠くにいるのに、気持ちは近くにある、そんな不思議な感覚にとらわれたものです。
　インスタライブはアーティストのファンコミュニケーションの

ツールとしてはもちろん、アパレルショップなどでも活用されていますから、日常的に見ている方も多いでしょう。

　ゲームのように空想の世界ではなく、現実に存在する者同士がインターネットによって結ばれた空間。これもまたメタバースであると考えています。

　そして、インスタライブ内でアーティストが演奏し、ファンがメッセージを送るといったコミュニケーションこそが、メタコミュニケーションです。メタコミュニケーションは、インスタライブというバーチャルな空間上と、実在するアーティストとファンを結びつけ、新たなエンターテイメントの形を創出しています。

　これこそがまさにバーチャル空間と現実空間が一体化している状態です。

　そしてそれぞれの空間を結びつけるのは、あなたとあなたを取り巻く人間によるコミュニケーション。このコミュニケーションこそが、私の考える基本的なメタコミュニケーションです。図にすると、バーチャル空間、メタコミュニケーション、現実世界の順番に位置した三層が織りなすエコシステム（生態系）と表現できます。そしてこのエコシステム全体がメタバースだといえます。

　デジタルの進化によって、メタコミュニケーションは表現の幅が格段に広がるとともに、人々へ提供する価値も大きく変化を遂げていきます。メタコミュニケーションが世の中へ深く浸透するほどに、メタバースの可能性は無限大に広がるでしょう。

メタコミュニケーション

─ メタバースはコミュニケーションツール ─

今日は誰と、どのようにコミュニケーションをとりましたか？

家族、友人、会社の同僚、飲食店の店員さん……。
対面で話した人も、SNSで連絡を取り合った
という人もいるかもしれません。

これからは、そこに「メタバース」という
新しいツールでのコミュニケーションが追加されます。
メタバース上のコミュニケーションは家族と話したり、
SNSで連絡したりするのと何ら変わらず、
難しいことではありません。
さらに、結果的にメタバース空間とバーチャル空間と
リアルな空間の連動性が増し、ふだんだと恐縮したり
緊張したりしてしまう相手とも話がしやすくなる、
なんてこともあるかもしれません。

この章では、メタコミュニケーションと従来の
コミュニケーションとの違いとコミュニケーションの進化、
メタバースでどのようにコミュニケーションが
よりよいものになるか、お伝えします。

コミュニケーションの進化が社会を変える

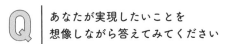

あなたが実現したいことを
想像しながら答えてみてください

・デジタルテクノロジーの進化によって生活はどう変わると
　思いますか?
・デジタルに支配されてしまう不安を抱えたことはありませんか?

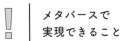

メタバースで
実現できること

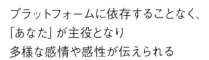

プラットフォームに依存することなく、
「あなた」が主役となり
多様な感情や感性が伝えられる

コミュニケーションの歴史

　メタコミュニケーションと従来のコミュニケーションとは何が違うのでしょうか？　ここで、従来のコミュニケーションの歴史について考えてみましょう。歴史を紐解くと、社会の変革の要がコミュニケーションの進化だということに気づきます。

　従来のコミュニケーションというのは、通信手段を軸とした、いわゆるテレコミュニケーションと呼ばれるものです。Googleで情報を検索する。メールやSNSでテキストや音声、画像を受送信したり、シェアする。すっかりあたり前となったこれらのコミュニケーションは、通信技術の発達とともに進化してきました。

　テレコミュニケーションの進化はアナログ通信（電話）→Web1.0→Web2.0→Web3と4つのフェーズに分けることができます。

テレコミュニケーションの進化

IBM・AT&T / NTT	Apple / Microsoft / ドコモ	GAFAM	
アナログ通信（電話）	Web1.0	Web2.0	Web3

歴史その①　アナログ通信（電話）

　アナログ通信の登場は1830年代。ドイツで世界初の電磁的電信機が製作され、アメリカではモールス符号式電信機が発明されました。電信とよばれるテキスト主体のコミュニケーションがテレコミュニケーションのスタートです。

その後、1876年には電話機が発明され、音声によるコミュニケーションが可能となり、テレコミュニケーションが人々の暮らしへ普及していきます。1900年代前半には、ＦＡＸが実用化され、テキストだけでなく静止画も受送信できるようになりました。1900年代後半にはテキスト、音声、静止画を用いたコミュニケーションはすっかり浸透します。

　そして1983年にはアメリカで初めての携帯電話が発売されました。モバイル通信の登場です。

歴史その②　Web1.0（ホームページ時代）

　携帯電話が発売された翌年1984年には、コンピューティングの世界でも歴史的なプロダクトが発売されます。Macintoshです。今や通信とコンピューターはお互いに切り離せない存在ですが、当時はまだ関連性は薄いものでした。

　初めて通信とコンピューターの技術が重なり合わさった世界がいわゆるWeb1.0です。Web1.0はインターネットによって膨大な情報閲覧を可能にし、同時に情報取得の低コスト化を実現しました。パソコンが家庭に普及し、一般化し始めたのもこのころです。

　コンピューターの世界ではMicrosoftが発売したOS「Windows95」の爆発的ヒットを発端に、パソコンが一般化していきます。のちにInternetExplorerがWindowsに標準装備され、ブラウザの分野でもMicrosoftが力を伸ばしMicrosoft一強といわれる時代が始まりました。

　パーソナルコンピュータが企業や家庭に普及したことで、新た

なコミュニケーションツールとしてウェブメールが人々の暮らしへ広がりました。

　通信の世界では1999年にADSLがサービスを開始し、高速かつ大容量のデータ通信を可能にするブロードバンドの歴史がスタートしました。

　ちなみに日本では時を同じくして、世界初の携帯電話IP接続サービスであるNTTドコモによるiモードが登場しました。

　携帯電話でメールのやりとりをしたり、サイトへアクセスして情報やコンテンツを楽しんだりできる、当時としては画期的なものでした。

　残念ながら日本の携帯電話は後にガラパゴス携帯と呼ばれ、世界へ普及することはありませんでしたが、iモードの誕生はモバイル通信とコンピューターが融合した歴史的なイノベーションであったといえます。

21世紀に入るとブロードバンドの普及とともに携帯電話の機能も多様化します。

　そして2007年、人々のコミュニケーションの大転機が訪れます。Appleによるスマートフォン、「iPhone」の発売です。

　OSを搭載したiPhoneは、インターネット通信だけなく、アプリをダウンロードしてカスタマイズができる「小型のパソコン」といえるプロダクトでした。

　iPhone登場後、AndroidなどのOSを使ったスマートフォンが続々と発売され、急速に世界で普及しました。今や生活に欠かせない存在であることはいうまでもありません。

　スマートフォンの普及によって音声、テキストに加えて動画によるコミュニケーションがスムーズになりました。また自らが情報を生み出し発信するという新しいコミュニケーションスタイルが誕生します。Web2.0のスタートです。

歴史その③　Web2.0（SNS時代）

　スマートフォンはモバイル通信とコンピューターが完全に融合したプロダクトです。スマートフォンの普及によって、今までパソコンを使っていたコミュニケーションをスマートフォンを使って行なう流れが生まれました。そのシンボルともいえる存在がSNSです。

　いわゆるＳＮＳサービスは、スマートフォンが普及する以前から存在していました。アメリカではFacebook（当時は「The Facebook」として誕生）、日本ではMixi（ミクシィ）やGREE（グリー）が、いずれも2004年に誕生しています。

　海外ではパソコン上で楽しむものとして普及していた一方で、日本ではすでにiモードを発端とした携帯電話でウェブサービスを楽しむ文化が生まれており、パソコンと合わせて携帯電話でもＳＮＳは人気でした。

ＳＮＳの人気を加速させたのが、スマートフォンのアプリケーション（アプリ）機能です。

　従来、パソコンや携帯電話でコンテンツを利用する場合は、ウェブサイトを開き、表示するすべての情報を毎回サーバーから取得しなければなりません。通信速度が遅いとコンテンツがなかなか見られないという場合あり、ユーザーのストレスになっていました。

　アプリは一定のメニュー項目などコンテンツの基本情報を端末内に保存しておけますから、電波を必要とするのはコンテンツ更新の場合のみ、となります。アプリはパソコンや携帯電話と比較して通信量も抑えられ、スピーディに利用できる点が革命的でした。

　スマートフォン普及の流れをにらみ、Facebookはアプリケーションベースのサービスへと切り替えました。アプリの存在はＳＮＳが浸透した原点だといえるでしょう。

　──ＳＮＳをきっかけにスターが生まれ、社会運動が広がる。

　Web2.0の時代では、誰もが世界へ情報を発信するすばらしさを体感できるようになりました。

　Facebookは29億人以上、YouTubeは25億人以上、Instagramは14億人以上、TikTokは12億人以上、Twitterは4億人以上（2023年1月時点）。これらは、それぞれのＳＮＳサービスにおける月間利用者数です。いかにＳＮＳが世界中の人を魅了しているかを実感します。

Web2.0の光と影

　Web2.0という技術革新は世界経済にも大きな変化をもたらしました。誰もが情報を発信できる自由が創出された裏で、新たな社会課題が生まれたことも忘れてはいけません。

　まずは民間企業であるGAFAM（Google、Apple、Facebook、Amazon、Microsoft）による中央集権的な構造が確立されたこと。
　プライベートでもビジネスにおいても、インターネットやスマートフォンは世界中の人々のコミュニケーションの必需品となり、スマートフォンのOSやSNSサービスなどのプラットフォーム（基盤）を開発する企業は急成長を遂げました。
　プラットフォームの代表的な企業であるGAFAM5社の合計時価総額は、イギリスの国家予算を超え、大国並みの影響力を発揮するようになったほどです。

　ここで課題として生まれたのが個人情報の流出や悪用といったリスクです。
　身近な話でいえば、あなたがSNSに投稿した画像やコメント、あなたがつくったアバター、これらは実はあなたのものではなくすべてプラットフォームが管理しているものです。
　ですから今は自由に発言できていると思っていても、次の日にはプラットフォームの判断でアカウントが削除される。そんなリスクもあるのです。
　プラットフォームにはあなたの発言、検索したキーワード、個

人情報すべてが保存されています。情報の一部は広告配信やマーケティング情報として利用されている場合もあります。

　世界中の情報をGAFAMが握っている。こうした状況に対して、国家レベルで対抗手段を打つようになりました。ＥＵではデジタル事業者に対する新しい税の枠組みの検討や、ＧＤＰＲ（ＥＵ一般データ保護規則）の制定などが進められています。

　そして画像や動画といったデジタルコンテンツは、簡単にコピーできてしまうという点も大きなリスクです。技術の発達によって個人が情報発信できるようになり、情報保護という課題が生まれました。

Web３が「独占」から「自由と分散」の時代へと変える

　2000年代後半から始まったWeb2.0の時代は、2014年ごろから潮目が変わり始めます。Web３といわれる新しい技術の進化です。

　GAFAM、つまりプラットフォームへの依存を象徴とするWeb2.0の時代を「独占の時代」と呼ぶとすれば、Web３がつくるのは「自由と分散の時代」。個人がもっと自由で自律した形でインターネットを使える環境がつくられていくでしょう。

　Web３と呼ばれる代表的な技術として、ブロックチェーンについてお話しします（本書は技術について説くものではありませんので、シンプルに輪郭をつかんでいただければ大丈夫です）。

　まずブロックチェーンとは、その名の通り、ブロック（取引）同士を鎖（チェーン）でつなぐしくみのこと。ブロックチェーンという言葉を聞くと、ビットコインなどの暗号資産を連想する方が多いかもしれません。

　ビットコインは、通貨と異なりデータ上に存在するもので、硬貨やお札ではありません。それなのに個人の資産として保有し、商品購入などの取引に利用できるのは、取引データを改ざんできない仕組みがあるからです。この改ざんできないしくみこそが、ブロックチェーンの大きな魅力です。

　そしてブロックチェーンのしくみと一緒に知っておいていただきたいのがNFT（非代替性トークン）です。NFTとは、ブロックチェーン上に書き込まれる、所有者の証明書のような存在。NFTを使えば、暗号資産に限らずデジタルコンテンツなども本物と複製品を見分けることができるようになります。

　つまり、プラットフォームに依存せずに自分たちで情報を「管理」する、ネットワークをつくり出せる。

　それがWeb3の時代だといえます。今の段階ではブロックチェーンは参加する難易度が高く、法規制の整備にも課題がありますが、将来的には暗号資産のような投機目的だけでなく、日々のコミュニケーションをパラダイムシフトさせる可能性をも秘めているのです。

Web 3 の時代のコミュニケーション

Read-Write-Control
プラットフォーマーに依存せず、情報の保有、発信のメカニズムを参加者が決定可能

　Web 3 の時代、分散型の時代と聞いても、今はピンとこないかもしれません。ですが、社会を救う、人々のチャレンジを後押しするといった点で Web 3 が使われるようになれば、あなたの日常にもナチュラルに浸透していくのではないでしょうか。

　ちなみに LINE といえば年齢を問わず多くの日本人が使うコミュニケーションツールですが、普及のきっかけは東日本大震災だったといわれています。
　家族や大切な人の安否を確認したい、救助を求めたくても電話がつながらない。そうした危機的な状況下で多くの人々を救ったのが、メッセンジャーアプリである LINE でした。
　テクノロジーは一見すれば、コスパやタイパ（タイムパフォーマンス）、投機に利用されるといった、少しドライな側面にス

ポットがあたりがちですが、私にはもっとやさしく温かい、大きな可能性があるものに見えます。

　かつてのコミュニケーションのあり方は企業主導型のものでしたが、分散という新たな可能性の元で交わされるメタコミュニケーションは、個人やコミュニティが主役となります。表現の幅が格段に広がり、多様な感情や感性が伝えられる。言語の違いやフィジカルな問題も飛び越えていくのです。

メタコミュニケーションが あなたの想いを解き放つ

 あなたが実現したいことを
想像しながら答えてみてください

・「伝えたい想いが上手く伝わらなかった……」と
　思ったことはありませんか?
・感動や感情を他人と共有したいと思ったことはありませんか?
・「私にはもっと暮らしやすい環境があるのではないか」と
　考えたことはありませんか?

 メタバースで
実現できること

従来の制約をなくし、
人生の選択肢を増やしながら
自分の考えや想いを相手に伝えることができる

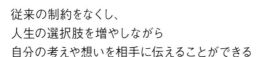

メタコミュニケーションがもたらすもの

　従来のコミュニケーションとメタバースによって実現するメタコミュニケーションの特徴をまとめると、図のようになります。

　もっとも大きな違いは「何を伝えるか」という点です。従来のコミュニケーションで伝えていたのはテキストや音声、画像といった「情報」でした。これらは言語を主体としたコミュニケーションともいえます。

　対してメタコミュニケーションで伝えられるものは「体験・感情・感性」といった非言語の領域にまで広がっていきます。

Web 3とメタコミュニケーション

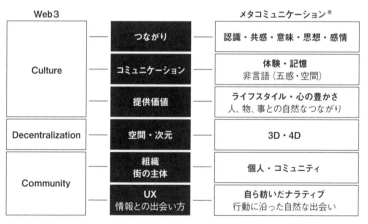

Web3		メタコミュニケーション®
Culture	つながり	認識・共感・意味・思想・感情
	コミュニケーション	体験・記憶 非言語（五感・空間）
	提供価値	ライフスタイル・心の豊かさ 人、物、事との自然なつながり
Decentralization	空間・次元	3D・4D
Community	組織 街の主体	個人・コミュニティ
	UX 情報との出会い方	自ら紡いだナラティブ 行動に沿った自然な出会い

　バーチャル空間であれば、3D、4D（視覚・聴覚に加えて触覚や嗅覚などの体感が得られるもの）といった空間設計が可能に

なります。

　身をもって体験することで言語以上の感動や共感がひろがるでしょう。すでに動画を用いるInstagramやTiktokの文化もメタコミュニケーションの１つといえます。感情に訴えかけるものがよりリッチに伝達できる、という点がメタコミュニケーションの大きな特徴です。

　非言語領域のコミュニケーションが可能になれば、人々に提供するコミュニケーションの価値もまた変化していきます。

　また、従来のコミュニケーションは企業主導型ならではの特徴があります。

　まずは「利便性」。検索エンジンが提供していたのは、いかに効率よく必要な情報にたどり着けるか、という価値でした。人々と情報と出会う手段は、検索エンジンがはじき出す検索結果と、企業が個人情報をもとに配信するターゲティング広告が大半を占めます。

　スピーディに情報にたどり着くメリットがある一方で、個人が主体的に情報を選ぶというよりは「選ばされている」状態だともいえます。

　対して個人が紡ぎ出すメタコミュニケーションは、自由で多様性のあるもの。

　自分の作品や想いの発信、好みのコミュニティへの参加などによって、自分軸のコミュニケーションを紡ぎだしていけば、予想もしていなかった体験や出会いに遭遇することも増えるでしょう。

　ＳＮＳの普及によって、検索エンジンではなくハッシュタグで情報を集める人が増えているといいます。これは個人が主体的に情報を選びたいという意識の表れではないでしょうか。

　コミュニケーションが与える価値は広がり、人生を豊かにするようなライフスタイルや心の豊かさといったものが提供価値になっていくと考えています。

「メタバースを活用した学校」で教育を変える

　多様なメタコミュニケーションは、教育や福祉の場面でも新しい可能性を見せています。ＳＤＧｓ達成に近づけ、社会のありかたを前進させる原動力になるのではないか、そんな希望さえも感じます。

KADOKAWAとドワンゴが母体となって設立したＮ高等学校・Ｓ高等学校は、インターネットと通信制高校の制度を活用した新しい形の高校です。Adobe Creative Cloud、Google Workspace for Education、Slack、ZoomといったＩＣＴツールの活用によって、必ずしも学校に通わなくても学習を続けられる環境を提供しています。

「ネットの高校」Ｎ高等学校・Ｓ高等学校の特長

① 好きなときに好きな場所で学べる
ＩＣＴツールを使って効率よく学習できるため、学びたいことに多くの時間をあてられる

② 将来へつながる多くの経験ができる
大学受験対策、プログラミングや語学のほか、リアルに体験する職業体験や留学プログラムなどの課外授業、ｅスポーツや投資、起業を学べる部活もある

③ ネットでもリアルでも友人ができる
コミュニケーションツールを使ったチャット形式のホームルームやネット運動会、ネット遠足のほか、リアルの場としてスクーリングや文化祭、職業体験でも生徒同士の出会いがある

④ 学びや進路実現をサポートするメンター制度
すべての生徒に複数のメンター（教育スタッフ）がつき、生徒が主体的に考えて行動できるようにサポートしている

従来の教育スタイルになじめずに苦労したり、さまざまな理由

で不登校になってしまったり……。

　学校に通えないばかりに学ぶ機会を失っている子どもは少なくありません。

　2022年10月に文部科学省が公表した「令和3年度児童生徒の問題行動・不登校等生徒指導上の諸課題に関する調査結果」によると、小中学校における不登校児童生徒数は24万4,940人。9年連続で増加し、過去最多となりました。

※出典：「令和3年度児童生徒の問題行動・不登校等生徒指導上の諸課題に関する調査結果」文部科学省2022年

　N高等学校・S高等学校では、キャンパスに通う「通学コース」「通学プログラミングコース」だけでなく、「ネットコース」「オンライン通学コース」の4つのコースがあります。生徒数は全コースを合わせて約2万4000人にも上ります（2022年12月31日時点）。リアルではこれほどのキャパシティの学校を運営することはほぼ不可能です。

　人数制限もなく、どの地域に住んでいても同じ教育が受けられ

N高入学式の様子

る空間。私はＮ高等学校・Ｓ高等学校は１つのメタバースだと位置づけています。

Ｎ高等学校卒業生の母親の声

　実際にＮ高等学校で学生生活を送られた方の親御さんにお話を聞くことができました。

　Ｆさんの娘さんは障害等級２級で自閉症スペクトラム症を抱えています。中学校から不登校になり、高校進学を諦めようとしていたところ、Ｎ高等学校の存在を知り、Ｎ高等学校一択で入学を決めたそうです。

　ここでは、少しだけＦさんのお話の内容をご紹介します。

Ｆさんのお話

① 生徒の傾向
　Ｎ高等学校の生徒さんは、２つのパターンの方がいるように感じました。１つはやりたいことが明確に決まっていて、高い目標を掲げている方。もう１人はうちの子のように学校に通えないなんらかの事情を抱えている方。
　Ｎ高等学校は新しいスタイルでキラキラしたイメージがあると思うのですが、今まで学校に居場所がなかったマイノリティの子どもたちに、高校進学という可能性を与えてくれる場所なのだな、というのが私の感想です。

② 授業の様子
　ＶＲ空間でリアルさながらにコミュニケーションをとる授業もありましたが、娘はそうしたコミュニケーションも難しく、オンライン配信の

授業で学んで卒業しました。

授業にもたくさんの選択肢がありましたね。著名な方が教えてくれる授業や、ＶＲ空間で行なう授業などもあり、生徒の好奇心をくすぐってくれる学校です。

オンラインゲーム上で行なうネット遠足というユニークなイベントもあります。遠足で仲良くなった生徒とリアルで会える場所も用意されていました。

こうした取り組みが広がると、生徒同士に新しいコミュニケーションが生まれるのではないかと思います。

授業の様子

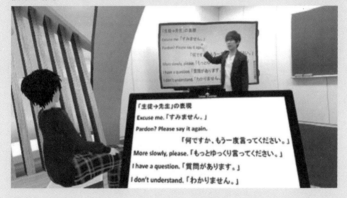

③ 学校からのサポート

娘は公立中学校に通っていましたが、選択肢がないと感じる場面が多々ありました。登校できないことに対して「どうしたら通えるようになるか?」というアプローチよりは、今ある環境の中でなんとかしなければならない、というか。

N高等学校は私立なので公立との違いもあるでしょうが、娘がいい方向へ行くために、柔軟に対応してくれた印象です。

「こうでなければならない」ということはあまりなく、「これにチャレンジしてみたらどうか?」といろいろ提案していただきました。

④ **学校生活の様子**

自由だからこそ、学習スケジュールを自分で計画しなければいけない点は私がサポートすることも多く、正直大変でした。それでも通学しなくてもよい、場所と時間を選ばないというメリットには及ばないのですが。

本当にスマホさえあればいつでもどこでも学べる環境です。

娘は夜が得意なので、夜中に授業の動画を観て勉強することも多かったですね。

コミュニケーションのとり方を娘に合わせられるというのも助かりました。基本的にしゃべるのは苦手で、Zoom でカメラをオンにすることも時期によっては難しくて。

場合によってはテキストのやりとりだけで済ませられるというのはよかったですね。

⑤ **メタバースが見せる可能性**

彼女はオンラインゲームが好きで、今までもバーチャルな場で友達ができていました。

バーチャルな空間がなければ、友達が1人もできないまま人生が終わってしまったかもしれないとも思います。

カメラをオンにしてもオフにしてもいいし、音声でもテキストでも大丈夫。コミュニケーション方法の選択肢も広がるので、容姿にコンプレックスがあっても隠せるということもあります。

娘の場合はメタバースの中の音声やテキストのみのコミュニケーションに人生の豊かさを見出しているようです。

　Fさんのお話を聞いて実感したのは、メタバースを教育に活用すれば、たくさんの子どもたちを救えるだろうということ。

　多様性のあるメタコミュニケーションによって、障害のあるなしや住む場所にかかわらず、それぞれが心地よい方法で人生を豊かにしていける。社会問題を解決し、ＳＤＧｓ達成にもつながる

大きな可能性を感じました。

体験と共感から福祉のありかたを変えていく

　メタコミュニケーションを取り入れたユニークな福祉の取り組みもあります。クリエイティブとテクノロジーで社会課題の解決をめざす株式会社ワントゥーテンが生み出したのは、「CYBER SPORTS（サイバースポーツ）」。一般の方が容易にパラスポーツが楽しめる、ＶＲやセンサーを用いたエンターテイメントです。「CYBER SPORTS（サイバースポーツ）」プロジェクトでは、車いすレースが体験できる「CYBER WHEEL（サイバーウィル）」と、センシング技術によって審判なしでもボッチャがプレイできる「CYBER BOCCIA（サイバーボッチャ）」をリリースしています。

ボッチャ

パラスポーツは、観戦したり実体験したりする機会が少ないという現状があります。メタバースを使って体験の輪が広がれば、多くの人がパラスポーツの魅力を知ると同時に福祉とのかかわり方にも変化が生まれるかもしれません。

　自分の知らないことはどこか他人事に感じてしまうものですが、自分がパラスポーツを楽しみ共感することで、福祉への興味も自然と湧いていくものです。

　メタコミュニケーションによって息づくメタバースは、世の中のあらゆる障壁を越えて、１人ひとりの働き方と生き方を変える力を秘めています。

　本書ではメタバースが生み出す新たな可能性について実際の事例をもとにご紹介します。

　──あなたが本書を読み終えたとき。
「明日から一歩踏み出してみよう」
「未来ってちょっと楽しみかも」
　きっと、そんな希望を感じていただけることでしょう。

親子や世代の
壁を超える

− 年齢を問わないコミュニケーション −

本章では、親子や上司・部下、先輩後輩など
年齢の離れた関係性に対して、メタバースを活用し
フラットで温かい絆を再構築した事例をご紹介します。

　親子というのは不思議なもので、
近しい関係だからこそ本音で向き合いづらい、
ということはないでしょうか？
「母の日にカーネーションを渡すのが少し恥ずかしい」
「父親とは仲が悪いわけではないけれど、めったに話をしない」
周囲ではそのような声もよく聞きます。
あなたがもし「親子関係を変えたい」「親孝行がしたい」と
思っていたら、ぜひメタバースを活用していただきたいのです。
親子に限らず、年齢の離れた者同士が対等な関係で
付き合うというのはなかなか難しいものです。

　メタバースの世界には、年齢や社会的役割による
固定概念がリセットされ、新たな関係性を育む世界が
広がっています。ぜひメタバースを使って、
年齢の壁を越える体験を楽しんでみてください。

ゲームを通して
親子関係を再構築

- □ 「ファイナルファンタジー XIV（FF14）」と親子の対話
- □ 親子関係の再構築「光のお父さん計画」
- □ オンラインゲームで立場にとらわれない本来の自分へ

 あなたが実現したいことを
想像しながら答えてみてください

・家族ともっと本音で話したいと思ったことはありませんか？
・家族が抱える悩みや不安を理解できていますか？
・あなたの内面は素直に表現できていますか？

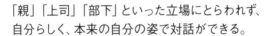

 メタバースで
実現できること

「親」「上司」「部下」といった立場にとらわれず、
自分らしく、本来の自分の姿で対話ができる。

オンラインゲームを使った壮大な親孝行計画！

　2014年から2015年にかけて、あるブログが話題になりました。ブログの管理人はオンラインゲームのヘビーユーザーであるマイディーさん。ブログには、彼がふとしたことをきっかけに、自分がプレイしている「ファイナルファンタジーＸＩＶ（FF14）」というオンラインゲームを父親にプレゼントし、ゲームの世界で親子とゲーム上の仲間たちが交流する様子が語られています。

　このプレゼントにはユニークな仕掛けがありました。それはマイディーさんが「自分の正体（息子であること）を隠して、ゲーム上でフレンドになる。そして最後にネタ晴らしをする」ということ。

　マイディーさんとお父さんは決して不仲ではなかったそうですが、いつのまにかほとんど会話をすることもなくなっていました。コミュニケーションをとりたい、親孝行したいという気持ちから、この計画を思いついたのだそうです。

　マイディーさんはこの計画を「光のお父さん計画」と呼び、ゲーム上の仲間たちに協力を得ながら進んでいきます。その様子が31回ものブログ記事として公開され、大変人気を集めたのです。

　正体を知らないお父さんは、FF14の世界でマイディーさんとともに旅をし、ミッションをクリアする「仲間」の1人として、新たな関係性を構築していきます。

光のお父さん

ブログは2016年に書籍として
書きおろされたのち、原作を元にした
ドラマや映画も製作されました。

※『ファイナルファンタジーⅩⅣ　光のお父さん』
マイディー著／2017年３月／講談社
（電子書籍で発売中）

　書籍やドラマ、映画が製作された当時は「メタバース」という言葉が今よりも使われていなかったものの、この事例はメタバースの本質を表していると考えています。

「もう１人の自分」として父親と向き合う

　一番最近、自分の家族と「いつ」「どんな」会話をしましたか？

　自分の親と、本音で語り合ったことはありますか？

　マイディーさんのブログには、「光のお父さん計画」を始める以前の親子関係も綴られています。

　マイディーさんが子どものころからお父さんは仕事が忙しく、家庭内のコミュニケーションが少なかったそう。ましてや腹を割って話したことなどなく、マイディーさんが社会人になってからは自身も忙しくなり、お父さんとは年に数回言葉を交わす程度の関係。

同じような親子関係の方も少なくないのではないでしょうか？

マイディーさんは、あるきっかけで親子関係を再構築したいと考えます。それが、お父さんが病気で入院してしまったこと。

「僕はこの人が死んだ時、泣くのだろうか？」（一撃確殺SS日記より）

マイディーさんの頭にこの残酷ともいえる疑問がよぎったことで、自分がお父さんとすれ違ってきたことを改めて認識できたと語っています。

とはいえ、「親子関係の再構築」はなかなかハードルが高いもの。そのなかで、マイディーさんが親子関係の再構築の場にオンラインゲームを選んだのは、おそらく現実とは別の、もう1人の自分が生きる大切な世界だったからでしょう。

メタバースだからこそ自分を解放できる

ゲーム上では親子ではなく、仲間という関係の2人。時には敵に襲われたお父さんを救い、チームの仲間と一緒にチャットで交流を重ね、ゲームを進めていきます。

ゲーム内で交流を深めるにつれて、現実世界の関係性にも変化が起きます。マイディーさんがそれとなくお父さんにアドバイスをしたり、お父さんから質問してくるようになったりと、いつのまにか親子としての会話も増えていきます。

映画の『ファイナルファンタジーXIV　光のお父さん』では、ゲーム内で息子が見た、お父さんの意外な一面がコミカルに表現されています。

　言葉づかいがいつもと違い、息子にとっては「えーっ！！」と驚くような人格の転換が行なわれたように感じます。

　しかし、息子からすれば驚くような言葉遣いも、お父さんからすれば、それが本来の自分。息子の前では「父親」という立場を意識していたものが、ゲームの世界ではあらゆる立場から解放された自分として、内面を素直に表現できるようになったのです。

「親」「上司」「部下」「夫／妻」など、私たちは現実世界を生きていく中でさまざまな役回りを持っています。

「立場がある世界」と「立場から解放された素の自分」

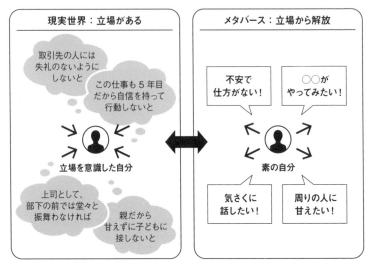

「親はこうでなければいけない」「上司はこうあるべき」という考えから、自己表現を躊躇してしまう、というのは誰にでもあることです。

　特に日本では子どものころから協調性を強く求められるあまり、私たちは知らず知らずのうちに「自分を出さないこと」が染みついてしまっているように感じます。

　あなたは自分の内面をどれだけ外に出していると思いますか？
　そもそも自分の内面を認識し、理解していますか？

　映画の中でお父さんは、オンラインゲームというメタバースの世界に入ったことで、自分は何が好きなのか、何を楽しいと感じるのかという自己の内面を認識していくと描かれています。

　ゲームの中でさまざまなプレイヤーと知り合い、チームをつくって敵と戦う。勝利の達成感や戦いのたびに育まれる友情はお父さんにエネルギーを与え、いつしかチームで勝利を目指すことがお父さんの大きな目標となります。勝つために一生懸命に練習をする姿は真剣そのものです。

　お父さんの新たな一面を知りながら、温かい関係性を再構築したマイディーさん。「光のお父さん計画」が完結したのち、ブログにこう綴っています。

「オンラインゲームというのは悪い事ばかりじゃないんだよ。
　考え方や受け取り方、活かし方で 人生においてこんなに素晴

らしい物になるんだよ。」

　僕は「光のお父さん」を通してそれをいいたかったんだと思います。すれ違ってきた親子が、分かり合えて人生が変わったという「事実」をきっちりエビデンスを取ってやりきり、証明できた。

　光のお父さん計画は、自分を育ててくれた「親」と「ゲーム」に対しての親孝行だったと感じています。」（一撃確殺SS日記より）

ゲームの中のリアルが社会をフラットに変えていく

　世の中ではゲームに対してネガティブなイメージもありますが、私はゲームの世界だからこそ叶えられるものあると感じています。「光のお父さん計画」は、ゲーム上で親子がいつもと違うキャラクターとして出会い、ともに体験を重ねることで、2人の関係性に新しい広がりが生まれました。

　ゲーム上での交流をきっかけとして、現実世界においても親子としての会話も増え、温かな関係性が築かれました。親から教えてもらうばかりだった関係が、子どもが教える側に立つ、フラットな関係性です。

　親と子の立場を意識してしまうと、親としては威厳を保ちたい、子どもに教えてもらうのは気が引けるという心理もあるでしょう。
　ゲームという同じフィールドに立ち、目標を達成するために体験を共有できた。その共感体験が立場を超えたコミュニケーションにつながったのです。

親子関係に限らず、知らない人と気軽にコミュニケーションがとれる、というのもオンラインゲームを含むメタバースの大きな魅力です。現実世界の立場や役回りから解放されることで、教えることも教えられることにも心理的なハードルが下がるのではないでしょうか。

　マイディーさんとその仲間たちがFF14の世界で初心者のお父さんをサポートしたように、メタバース空間は自分の力を発揮するフィールドにもなります。社会に助け合いの輪を広げる、そんなポテンシャルを持っているのです。

　人と人が交わるオンラインゲームはかりそめの世界ではなく、リアルが存在しています。ゲームの中のリアルが、現実世界を変えていく。「光のお父さん計画」はメタバースの本質を表しているともいえる事例です。

　親や大切な人とのコミュニケーションのきっかけとして、気軽に取り入れてみてはいかがでしょうか?

創作が生み出す
子どもと大人のコミュニケーション

□ 子どもの探求心が向上する「マインクラフト」

 あなたが実現したいことを
想像しながら答えてみてください

・親と子の関係性に上下関係が生じていませんか？
・子どもや後輩から、何かを教わったことはありますか？
・メタバース空間を家族で楽しんでみませんか？

 メタバースで
実現できること

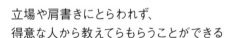

立場や肩書きにとらわれず、
得意な人から教えてもらうことができる

直感的な操作で創造性と探求心を育む「マインクラフト」

「光のお父さん計画」から10年以上経過した今、オンライン
ゲームは世界中で市民権を獲得し、コアなゲーマーだけでなく、
大人も子どもも多くの人が楽しむようになりました。

　さらに第1章、第2章でご紹介したWeb3と呼ばれるテクノロ
ジーの進化によって、クリエイティビティの高い自由な世界観が
楽しめるようになり、ゲームの世界でモノをつくったり、イベン
トに参加したりすることで報酬を得るという経済活動まで行なう
ことができるようになりました。

　従来のゲームのようにあらかじめつくられたストーリーに従っ
て進めるのではなく、プレイヤーが好きな時に好きなことをして
楽しむ。プレイヤー自身が世界をつくり出すという点で、ゲーム
の枠を超えたメタバース空間となりつつあるといえるでしょう。

　近年人気のオンラインゲームといえば2000万人以上が参加し
たバーチャルコンサートが話題を呼んだ「Fortnite（フォートナ
イト）」、ナイキが「NIKELAND」をつくるなど、大手ブランド
も参加する「Roblox（ロブロックス）」、土地やアイテムをNFT
化し、ゲーム内のマーケットプレイスで取引できる「Sandbox
（サンドボックス）」や「Decentraland（ディセントランド）」な
ど、さまざまなものがありますが、本書では家族間のコミュニ
ケーションや子どもの教育という点にフォーカスし「Minecraft
（マインクラフト）」を取り上げます。

「マインクラフト」は広大に広がる「ワールド」を探検しながら、ボクセルと呼ばれるブロックを使って自由に建築物をつくり、自分好みの世界をつくっていくオンラインゲームです。

　Windows、Linux、MacOS に対応していて幅広いカスタマイズができる「Java版」と、パソコンやタブレット、Nintendo Switch などさまざまなデバイスで気軽に遊べる「統合版」や、プログラミング学習と組み合わせた「教育版マインクラフト」などがあります。日本では「マイクラ」という愛称で子どもを中心に親しまれる大人気ゲームです。

「マインクラフト」の基本的な特徴は2点。

　1点目は、直感的な操作性です。例えばタブレットを使ってプレイすれば、タッチ操作でプレイヤーの移動やボクセルの素材選び、建築（ボクセルを積み上げる）ができます。

　感覚的に操作ができるため、3歳程度の小さなお子さまからデジタルに苦手意識を持つ人、手先の細かい動きが難しいシニアの方なども楽しめます。

　2点目は、サバイバルとクリエイティブの2つのゲームモードが選べること。

　サバイバルモードは、生き残ることを目的とした、冒険を楽しむモードです。例えば、森へ行って木を切り倒して建築材料を手に入れたり、牛を探してミルクを手に入れたり。原始の生活を追体験するように「どうやって生き抜くのか」を遊びながら学べるおもしろさがあります。

　クリエイティブモードは、建築に特化したモードで、さまざ

な素材を自由に使って思い思いの建物を建てて楽しみます。すでに完成されたワールドに行って建築物を見て回ったり、他のプレイヤーと協力して建築したりといった楽しみ方ができます。

子どもが先生になる。大人との新しい関係性を構築

　直感的に楽しめる「マインクラフト」は、子どもが大人顔負けの才能を発揮する場でもあります。

　Ridgelinez の中にも「子どもがマインクラフトにハマっている」というメンバーがおり、お子さんと一緒に石垣島でワーケーションをするタイミングで実際にマインクラフトのプレイ方法についてお子さんにレクチャーをお願いしたことがありました。

　レクチャーをお願いしたのは小学生のAくん。ワールドの世界観や素材の集め方や獲物の捕まえ方、ボクセルの組み立て方……。Aくんはとても楽しそうに説明してくれました。

　Aくんは日ごろから、お母さんや妹に説明したり、友達と情報交換したりしているそうで、その成果もあってか、説明がとてもロジカルでわかりやすくて驚きました。

　例えば、「1ボクセルが1mのマイクラのワールドは高さが256m。石垣島はマーペー山の高さが282mでマイクラの世界にそっくり！」と、ちょうどワーケーション先での石垣島での実体験と重ねて説明をしてくれました。

　大人でも苦手意識を持つ人の多い、オンラインツールを使った

プレゼン力、伝える力が自然と身についているように感じました。「無理に大人が教えるよりも、子どもに教えてもらったほうが、よほどわかりやすくて、かつ、楽しさを伝えられるのではないか？」と思ったほどです。

「マインクラフト」を通して、子どもが大人に教えるという、新しいコミュニケーションの形が育まれていることを実感しました。

さらに、Aくんのつくった建築物も目を見張るものでした。

竹が植えてある広いお風呂や、見晴らしがいい屋上、洋服などをしまうクローゼットなど、独創的でありながらとても実用的なレイアウトなのです。

「建築」というと、現実世界では実践するには専門の資格が必要であったり、大きな材料が必要となったり、1人でつくり上げることは実質的には不可能に近いですが、「マインクラフト」の中ではアイデアさえあればつくり上げることができます。

また、マングローブを植えて、CO_2を減らすゲームについても紹介してくれ、自然のエコシステムについてナチュラルに身に着けている姿に驚きました。

ゲームの世界では誰もが街づくりを表現することができます。もしかしたら近い将来、子どものアイデアが社会問題を解決する日が来るかもしれない。子どものアイデアを大人がビジネスとして世の中に具現化していけば、すごくいいものが出来上がるかもしれない。「マインクラフト」は、ワクワクする未来を予感させてくれます。

マインクラフトでAくんがつくったワールド

Aくんがマングローブ林を植えている様子

「創作のコミュニケーション」が発達障害の子どもたちを救う

　海外では、「マインクラフト」が自閉症スペクトラム症やADHDといった発達障害（神経発達症）の子どもたちのケアをする場としても大きな力を発揮しています。

　神経発達症の子どもたちの中には、他者とのかかわり方や計画性、時間管理能力といったところに難があり、なかなか社会の輪に溶け込めない子もいます。「マインクラフト」は、そうした子どもたちが社会的スキルを身に着ける場としても活用されているのです。

「マインクラフト」の建物をつくる、つまり創作を軸として楽しめるという特徴が神経発達症の子どもたちと相性がいいものと考えられています。

　相手の気持ちを察することが苦手な子どもたちも、ゲームの世界では表情をうかがう必要もありません。そして創作という自己表現が他のプレイヤーとコミュニケーションになる。共同作業で創作すれば、徐々に他者とのかかわり方に慣れていくこともできます。

「マインクラフト」で遊ぶことが「社会生活の練習」として機能していく、メタバースの活用としてとても優れた取り組みだと思います。

　同時に「マインクラフト」は子どもたちの才能を開花させる可

能性もあります。

　特に、プログラミング能力はビジネスの世界では評価が高まっている一方で、学問というレベルではまだ能力評価の指標としてはまだ定着しきれていないことも事実です。

　こうした状況の中で、「マインクラフト」のようなゲームで得意分野を見つけ、周りからも評価してもらえるきっかけになれば、とても素晴らしいことではないでしょうか。

CHAPTER

4

立場の壁を超える

― リレーションシップの再構築 ―

コロナ禍で一気に普及したリモートワーク。
社内外の人々と対面する機会が減り、
コミュニケーションに悩みを抱える人が多いようです。
また上司や部下、取引先といった
さまざまな立場の人と関わる職場では
コミュニケーションに「立場の壁」が立ちはだかることも……。
「もっと本音で話したい」「心を開いてほしい」と
思ったことはありませんか?

メタバースは使い方次第で、人が個性的かつ
自由に生きていけるようになる空間です。
拡張性の高いメタコミュニケーションを上手に活用すれば、
あなたの悩みもきっと解決できるはず。
本章では3つの事例をベースに、
リモートワーク下のコミュニケーションを円滑にし、
立場の壁を超えて人間関係を再構築する
ヒントをご紹介します。

「つながり続けること」で生まれる心理的安全性

☐ Zoom でもオフィスにいるような環境をつくる
☐ Z世代の「つながり続ける」コミュニケーション

 あなたが実現したいことを
想像しながら答えてみてください

・リモートワークでプロジェクトの進行が難しくなったと
　感じていませんか?
・相手の立場を気にして遠慮してしまうことはありませんか?
・対面のほうがなんとなく話しやすいなと感じていませんか?

 メタバースで
実現できること

「つながり続ける」ことで相談するハードルをなくし、
心理的安全性を生み出す

リモートワーク下でコミュニケーションが減るのはなぜか？

　コロナ禍によってリモートワークが定着し、お互いに一度も会わないままにプロジェクトが進行するということも最近では珍しくありません。読者のみなさんも、対面ではコミュニケーションをとったことのない人たちと仕事をしているという人も多いのではないでしょうか？

　そして、こんな悩みを抱えたことはありませんか？
「相手に聞くまでの手間がハードルとなって、相談事や雑談などの些細なコミュニケーションが対面のときよりも疎遠になってしまう」
　リモートワークで相談しようとすると、意外と手間がかかるものです。まず相手に「これについて聞きたいのですが、Zoomをつなげてもいいですか？」と、文脈を考えてチャットを送る。そして、いついつZoomつなげると約束をして、やっと本題に入れるという具合です。
　同じオフィスにいて対面で仕事をしていると、こうした手間は必要ありません。相手が忙しそうなのか様子がわかりますから「今、大丈夫ですか？」と直接声をかけられますし、同時に周りの人に聞くこともできます。

　実際に、Ridgelinez のメンバーとクライアント計6人がアサインされたプロジェクトのメンバーAさんもリモートワークの悩みを抱えていました。

コロナ禍になる以前に手掛けたプロジェクトでは、対面で話すことも多かったというＡさん。オンラインツールを使ったコミュニケーションでは、圧倒的に会話量が減少してしまうと心配していました。特に、社外のクライアントとは業務以外で接するチャンスも少ない一方、友好な協力関係を築くためにはコミュニケーションが大切です。対面では気軽に雑談もできるのに、オンラインへとシチュエーションが変わった途端に業務要件の連絡だけになってしまう。

　Zoomなどのオンライン上の空間は、場所や移動時間といった物理的な制約から解放される点がメリットである一方、些細なコミュニケーションについて課題もあるのです。

ツールの使い方によっては、心理的安全性も妨げられてしまう

　対面とオンラインのコミュニケーションの大きな違いとして「非言語コミュニケーションの量」も挙げられます。

　「非言語」とは文字の通り、言葉以外でコミュニケーションをとることで、例えば、身振り手振りや声の大きさ、表情などのことです。対面であれば、非言語の情報は伝わりやすく、大きく手を動かしていたら「この人が強調したい部分なのだな」、声が小さければ「緊張しているのかな」などと感じ取ることができますよね。
　一方、オンラインツールは、リアクションが見えにくく、相手

の様子を感じ取ることが難しくなります。

　そのため、非言語を補うためには、話すときに対面の時より言葉を増やして詳しく説明したり、文字情報を補足したりといった工夫が求められてしまいます。

　言語で伝えることが得意な人は問題ないかもしれませんが、苦手意識のある人は「思うように伝えられない」「相手の気持ちが理解しづらい」と相手との間に壁が生じてしまうのです。

　プロジェクトはメンバー全員が同じゴールに向かって進んでいかなければいけません。

　そして、自分がゴールにちゃんと向かっているのかを確認するための方位磁石となるのが、チーム内のコミュニケーションです。この方位磁石がなければ、メンバーは安心して仕事ができません。

そのため、リモートワーク下でコミュニケーション頻度が少なくなると、プロジェクトの進行を妨げるリスクにもなります。

　さらに、コミュニケーションがないと、チームに歓迎されている、頼りにされているという実感がわきにくく、仕事のパフォーマンスにも影響が出てきてしまいます。

　このように、非言語コミュニケーションの少なさは、心理的安全性の妨げにもなると考えられます。

　では、リモートワーク下で気軽にコミュニケーションをとるにはどうしたらよいのでしょうか？

　先ほど触れた、Ridgelinezのメンバー Aさんが、オフィスで一緒に働いている環境とできる限り同じ環境に近づけるために取り組んだ事例をご紹介します。

Zoomを"つなぎっぱなし"にしてみた。

　Aさんがチームに提案したのは「業務中はチーム間でZoomをつなぎ続けよう」という取り組みです。

　基本的にはカメラもマイクも常にONの状態で、いつでもチームメンバーの様子が見えて、いつでも声をかけられる状態にしておきます。

「1人でリモートワークをしているほうが気楽でいい」という人には少し抵抗のある提案なのでは？　と思いきや、「プロジェクトを円滑に進めるためにはマストの取り組みだ」という強い想い

を伝えたところ、大きな反対はなかったそうです。

　ただ、Zoomをつなぎっぱなしにしただけで、対面で会ったことがなく、どのような性格かわからない人と、最初から雑談で盛り上がるのはやはり難しい……。そこで、まずはこの環境に慣れていくために毎朝15分の「雑談タイム」を設けました。雑談のトピックスを全メンバーが順番に考えて、仕事始めに必ず15分雑談するようになったのです。

　すると、つなぎっぱなしを始めて2週間ほどしたころから、業務中にも自然と雑談が生まれるようになりました。

　ちなみに会話をするときは基本的に全メンバーに聞こえている状態です。想像してみてください。オフィスでは、誰かにこっそり相談したり、話したりすることもありませんか？　一方、つなぎっぱなしであれば全部の話題が筒抜けです。

　「それは嫌だな……」と感じた方もいらっしゃるかもしれませんが、この開放的な空間によって、Aさんのチームはオフィスで仕事をするよりも、圧倒的にコミュニケーションが増えたのです。

　例えば、AさんがBさんに何かを聞いたとき、別のメンバーのCさんが「それなら私がわかりますよ」と話に加わってくれたり、休憩から戻ったメンバーが雑談に途中参加したり。

　いつでも会話に参加できるし、参加しなくてもいい。そんな気軽さが心理的安全性をもたらし、豊かなコミュニケーションを生

▶ **9:00-9:30：朝会の実施**

・テーマを決めて雑談（トピック例：住んでいる地域の散歩コースについて、好きなランチのお店について、気になっているテクノロジー系ニュースについて、など）

・昨日行なったこと・本日行なうこと・困っていることの共有（困っていることで議論が必要だったら、朝会後に別途会話を行なう）

・直近のマイルストーンについて確認

▶ **9:30-12:00：業務**

・個人で作業する中で開発ツールにおける操作方法がわからなかったため、メンバーに質問し、解決

・2人で一緒に作業したほうが効率的と判断したときは、その2人で別部屋（別Zoom）に移動し、片方が画面を共有し、その画面を見て2人で議論しながら作業

▶ **12:00-13:00：昼食**

・昼食時などの休憩時はZoomから退出

▶ **13:00-16:30：業務**

・午前の作業を継続して行なう

・途中で、ふと雑談が始まる。この日はランチで食べたものを紹介しあう

・メンバーの出入りは自由。他のミーティングに参加する時などはメンバーに一声かけてから一時的に退出する

▶ **16:30-16:45：夕会**

・今日行なった作業で何か気になる点があれば報告する。また、作業してみた感想をラフに語り合う

・解散

み出したのです。

　とはいえ、個別に話したほうがいい内容については、状況に応じて別のZoomを設定するというようにフレキシブルに対応しています。

つなぎっぱなしに大切なのは「関係性と自由度」

　この取り組みで2人が動いたことは2つだけ。①つなぎっぱなしにすることと、②朝の雑談タイムのしくみづくりのみです。堅苦しいルールを設けなかったからこそ、メンバーも受け入れられたのではないでしょうか。堅苦しいルールを設けてしまえば、義務感が先立ち、つなぎっぱなしを負担に感じてしまったかもしれません。

　このプロジェクトチームは、Ridgelinezと社外のクライアントから構成されているため組織もバラバラ、さらに年齢も多様なメンバーが参加しています。
　すべてのメンバーが年齢や立場で差をつくらずに、同じ環境を共有するフラットな働きかけも、立場の壁を払拭し友好な関係性を築くことができた成功要因だったのでしょう。

　これは、あくまで1つの例です。メタバースを活用する際は、システムの導入のみならず、仕事のパフォーマンスを上げることも必須です。紹介した事例をもとに、「自分ならどのように取り

組むか？」ぜひ一度、考えてみてください。

Ｚ世代の「つながり続けるコミュニケーション」

　そもそもＡさんは、「業務中はチーム間でZoomをつなぎ続けよう」というアイデアをどう思いついたのでしょう？

　プライベートシーンでのコミュニケーションについて話を聞くと、「つながり続ける」ことがとても自然な行動だということがわかりました。

　Ａさんは Z 世代といわれる20代。

　例えば、仕事を終えて帰宅する時間になると、誰が音頭を取るわけでもなく、友人とつくったLINEグループが通話中になるといいます。複数人数のグループなので、参加するも参加しないも自由。ずっと通話中になっているので、途中参加もOK。「別に用はないけど、誰か暇な人がいたら話そう」というノリなのだと話していました。

　また、この本の制作メンバーの１人であるＭさんの身近な場所でもＺ世代の「つながり続ける」コミュニケーションが見つかりました。Ｍさんは Z 世代の妹さんと２人暮らし。休日になると、妹さんが実家に住むご両親とパソコンでSkypeを終日つなげているというのです。

　ずっとモニターの前で話をしているわけではありません。お互いにカメラもマイクもオンにしたままで、食事をしたり洗濯ものを干しに行ったり、通常の生活のかたわらで話をするという状態

です。

「遠く離れて住んでいても、Skypeをオンにすることで一緒に暮らしているような感覚になれる」。妹さんはこの状態が安心すると話しているそうです。

　Z世代は幼いころからデジタルを使いこなす環境で育ったデジタルネイティブです。だからこそ、デジタルがつくるメタバース空間と物理的な空間を同じ感覚で捉えられるのかもしれません。

　コロナ禍は日常生活で人と会うことが制限され、孤独を感じる人が増えたといわれています。デジタルネイティブな発想と「人とつながりたい」という強い気持ちが、メタバース上の新しいつながりかたを生み出したのです。

　デジタルネイティブの若い世代の感覚には多くの学びがあります。こうした新しい発想は、世代を超えてあらゆる人のコミュニケーションを豊かにしていくでしょう。

　ご紹介したのは映像も音声もすべて共有し続けるという事例ですが、表情を見られることが苦手であればカメラをオフにするなど、人によって心地よい方法を選択できる多様性もメタバースの魅力です。あなたらしく心地よいメタコミュニケーションを見つけてみてください。

SECTION
02

素の自分を解放する アバターのメタコミュニケーション

☐ Zoom で行なう会議にアバターを登場させる
☐ アバターで "素の自分" に出会う東京都市大などの研究
☐ 国が推進している「ムーンショット計画」

あなたが実現したいことを
想像しながら答えてみてください

・仕事の人間関係で素の自分を出せていますか?

・相手の立場を気にして身構えてしまうことはありませんか?

・ビジネスシーンで、もっとフラットにコミュニケーションが
　とれたらいいなと思ったことはありませんか?

メタバースで
実現できること

物理的な制約のみならず、心の制約も取り払い
"素の自分" でコミュニケーションができる

オンライン会議に常務が犬のアバターで登場したら？

アバターを使ってコミュニケーションをとったことはありますか？

ゲームやコミュニティサイトなど、プライベートの場面ではアバターを使って楽しんでいる方も多いでしょう。現実の性別も体格も顔のつくりも関係なく、好きな姿になれるアバターはメタコミュニケーションの1つであり、関係性構築に大きな影響を与えるツールです。

ビジネスの場面でもまた、役職や立場を超えて新しい人間関係を構築できる役割を果たしてくれます。

以前、クライアントにメタバース体験の一環として、このような実験をしてみました。

アバターを使ったコミュニケーション実験

① Zoom会議の際に、先方のもっとも上席にあたる常務の方に「犬のアバター」を使って参加してもらう

② 犬の姿の常務と、クライアントの一番の若手社員の方の間で議論を交わしてもらう

役員と若手社員がマンツーマンで会話、となれば少し緊張感が漂いそうな気もしますが、いざ議論をスタートしたところ、コ

ミュニケーションにおもしろい変化が生まれたのです。

　なんと、犬の姿をした常務が発した最初のひとことが「今日は楽しみだ"ワン"」。若手社員の表情も思わずゆるみ、「朝のお散歩はどうでしたか？」と切り出しました。すかさず常務も「お散歩の後はお腹が空くから肉が食べたいワン」と答えて、とても和やかな会話が展開されたのです。

動物のアバターを使って会話する

　常務は「自分は犬なんだ」と認識したことで「犬ならこう話したほうがいいのかな」と考え、キャラクターになりきって話し始めたようです。若手社員は、ふだん社内で見ることのない常務のかわいい姿とその話しぶりで心がなごんだのか、とてもリラックスした様子でした。

この実験から考えても、アバターを活用することは、ビジネス上のコミュニケーションを円滑化する解決策になります。「メタバースを活用しよう」というと、なにか大掛かりな準備が必要だと思うかもしれませんが、アバターを活用するだけであればZoomやSkypeなどのツールがあれば十分です。さらにいうと、もし大掛かりな準備をして、バーチャル空間にリモートワークができるオフィスを用意したとしても、バーチャル空間内で「ここは社長室、ここは常務室」などと分けてしまったら、コミュニケーションは円滑になりません。

　メタバースをビジネス上のコミュニケーションで活用する際は、アバターのように、上司、部下といった「心のタグ」を介した関係性から解放することこそが、非常に効果的です。

アバターになると“素の自分”になれる!?

「アバターを使うと脳にどんな変化が起きるのか?」

　アバターによるコミュニケーションについて、さまざまな大学が研究を行なっています。ここでは、2022年に東京都市大学、TIS、岡山理科大学、工学院大学が行なった実験をご紹介します。

　実験では、男女108人、54ペアを「記憶から消してしまいたい出来事」など個人的なものについて話します。その際、対話の仕方は次の3つのパターン。「(お互いの顔が見える)ビデオチャット」「本人と似ているVRアバター」「本人と似ていないVRアバター」です。あなたも、誰かと話すときをイメージしてみてくだ

さい。個人的なものについて話すとき、どのパターンが話しやすそうですか?

東京都市大学などの研究では、実験結果をもとに対話中に参加者がどの程度、自分をさらけ出したか、話した内容や声のトーンなどから評価しています。すると、自分をさらけ出した度合いの高い順に「本人と似ていないVRアバター」「本人と似ているVRアバター」「ビデオチャット」。実験結果として「VRアバターによるコミュニケーションはビデオチャットよりも"素の自分"をさらけ出す」ということを発表したのです。

VRアバターによる対話の様子

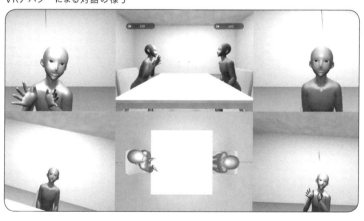

しかも、参加者へアンケート結果では、個人的なことを話すことに対して、アバターでもビデオチャットでも認識や気分に変化はなかったというので、アバターを使うと意識せず自分をさらけ出すことができていたことがわかります。

※出典：『市野順子, 井出将弘, 横山ひとみ, 淺野裕俊, 宮地英生, 岡部大介. 身体的アバ
タを介した自己開示と互恵性─「思わず話してた」─. 第26回 一般社団法人情報
処理学会シンポジウム（インタラクション2022）, INT22003, pp.21-30,
2022.3.』

　自分とは違う姿のアバターを使っているときほど本音が話せる
……。現実を生きていると将来への不安やストレスを感じること
もある中で、自分が置かれている状況から離れ解放されることを
無意識に求めている証拠だと考えています。

人生を楽しむためにメタバースで解放すべき要素「4つ＋1」

　アバターの活用については、内閣府も注目しています。「ムー
ンショット計画」をご存じですか？

　ムーンショット計画は「2050年までに人が身体、脳、空間、
時間の制約から解放された社会を実現する」ことを目標としたも
ので、その中でアバターやロボットを組み合わせて活用し、誰も
が多様な社会活動に参画できる「サイバネティック・アバター生
活」という未来の暮らしを掲げています。
「人生100年時代」といわれる中で、健康で安心して人生を楽し
める社会をつくるために、アバターの力が注目されているのです。

　ここでは人生を楽しむためのキーワードとして、「身体・脳・
空間・時間」という4つの要素からの解放を掲げています。
　私は本当に人生を楽しむには、この4つの要素ともう1つ、必
要となる大切なものがあります。それは「自分の解放」です。

　先述したアバターを使った上司と部下のコミュニケーションの例でもお話ししましたが、アバターには物理的な制約を取り払うと同時に、心理的な変化ももたらしてくれます。

「4つ＋1」の要素からの解放

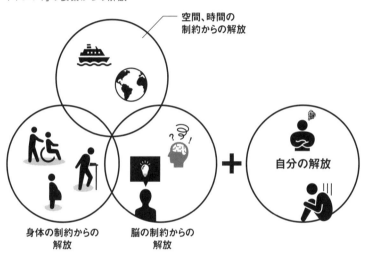

空間、時間の
制約からの解放

身体の制約からの
解放

脳の制約からの
解放

＋

自分の解放

　性別も年齢も体格や見た目を気にすることなく、なりたい自分になれる。自分らしく生きて人生を楽しめる。アバターがそんな未来を後押ししてくれることを期待しています。

リモートワークを円滑に進める コミュニケーション

□ Slack を導入したコミュニケーション

 あなたが実現したいことを
想像しながら答えてみてください

・オンラインのコミュニケーションで「伝わった実感」は
 ありますか?
・目上の人に本音で話ができますか?
・部下の抱える悩みを理解できていますか?

 メタバースで
実現できること

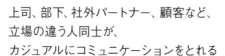

上司、部下、社外パートナー、顧客など、
立場の違う人同士が、
カジュアルにコミュニケーションをとれる

オープン性でコミュニケーションを円滑化するSlack

　最初にご紹介するのは、私自身がRidgelinezで取り組んだ、チームコミュニケーションツール「Slack」を用いた事例です。

　Ridgelinez は2020年に設立された会社で、国内外からさまざまなバックグラウンドを持つメンバーが参加しています。「多様性のある環境だからこそ、新しいカルチャーをつくっていきたい」そうした想いを胸に、私がコミュニケーションツールとして導入したのがSlackです。現在はデジタルコミュニケーションの中心はSlackとZoom／Teamsを併用することで定着しています。

　私が特に重きを置いていたのは①リモートワークの効率化、②役職や立場を超えたコミュニケーションの円滑化です。①だけであれば、便利なデジタルツールは他にもありますが、②を実現するとなると、理想のイメージに合った特性のツールを選ぶ必要がありました。

　上司・部下、社外パートナー、顧客など、立場の違いがある中で、心地よい協働のカルチャーを生み出すには「オープン性」を大切にしたいと思っていました。誰でも自由に話ができる、話した内容がいつでも見られる場所があること。形式的な会話ではなく、カジュアルに話せる場所があること。一定レベルのセキュリティを確保した上でこうした開放的なコミュニケーション空間をつくり出せる理想的なデジタルツールがSlackでした。

　Slackの大きな特徴は、外部ツールとの連携が可能であること、

そして、会話のテーマに応じて自由に専用のチャット部屋（チャネル）がつくれる点です。

チャネルは閲覧権限も設定できますが、Ridgelinez アカウントに招待されている人であれば、社内外問わず誰でも参加できるオープンな状態にすることも可能です。

ビジネスコミュニケーションツールというと、かつてはクローズドな状態で使用するというイメージもありましたが、オープンな議論の場がつくれるSlackは、私の目指すRidgelinez の姿にとてもマッチしていると感じました。

Slack自身もオープンチャネルを推奨しているという姿勢にも共感したものです。

Slackでのやりとり

上司への返信も絵文字でOK!

　プライベートなシーンではLINEのようなチャットが主流になっている中で、多くの人が「メールよりもチャットのほうが話しやすい」という感覚を持っているのではないでしょうか?

　メールだと「しっかり文章を考えなくちゃ」とか、「はい、とかひと言で返すのもおかしいかな」なんて思ったり。LINEならスタンプ1つでも自然に送れるのに、不思議なものです。

　立場を超えたコミュニケーションを円滑化するために、こうしたチャットの気軽さをSlackでビジネスコミュニケーションにも取り入れたい、というのも私の考えの1つでした。

　SlackはLINEと同じように、短い会話のやり取りがリアルタイムに連続して可視化されます。仕事中にふと気になったことを聞いてみれば、チャネルを見た誰かかが答えてくれるというやり取りが気軽にできるのです。リアルタイムに参加できない人がいても、スクロールしてさかのぼって読んでいけば理解できるので、途中参加もできます(メールのやり取りを何十通も追い直してというのは大変……きっと誰もやりたがりませんね)。

　そして、Slackをカジュアルに使えるように、ある方針を決めました。メールのように「○○○様」「○○○さん」とわざわざ書くのはやめて、メンション機能(メッセージを送ると特定の相手に通知される機能)を使えばOKにしようと。

Before

After

・立場が違うと
　話しかけにくい

・上司と話すときは
　緊張する

・立場の違いは
　関係なく話せる

・誰に対しても
　相談しやすい

　今は上司のことを役職で呼ぶ、というケースは少なくなっていると思いますが、コミュニケーションをとるたびに「あ、この人には様をつけなくちゃ」なんて相手の立場を意識していたら、居心地が悪くなってしまうでしょう。

　また、Slackはさまざまな絵文字が使えます。相手が上司だからといって「承知しました」とかしこまって返事をしなくてもよく、笑顔の絵文字を使ったり、意味が伝わるような絵文字で気軽にコンタクトがとれるような雰囲気づくりをしていきました。

　まずはデジタルの力を使って、誰もがフラットな立場で気軽にコミュニケーションができるSlackというメタバース空間をつくる。その延長線上に、心理的安全性のあるフラットな人間関係というカルチャーが定着するのではないかと考えていました。

オープンかつシンプルであることを大切に

　Slackの導入に当たってはオープン性を最大限に生かすため、なるべくルールのような縛りは決めたくありませんでした。

　誰もがフラッとのぞきに来て、好きなことを話していろいろな人とコミュニケーションをとり、課題を解決できる、そんな空間になってほしい。どのチャネルを見てもクローズド（権限のある人しか見られない）になっていたら、つまらなくなってしまいます。

　経営情報のような社外秘になり得るようなものはクローズドにしますが、基本的にはオープンで気軽に参加できるようにというのがある意味、最重要のルールです。

　使い勝手が悪くなるようことに対してはある程度の基準を決めるようにしました。

　例えば、＠チャネル（Ridgelinezのアカウントに入っている全員がつながるチャネル。メッセージを送ると全員に通知されてしまう）にはなるべく必要な情報を選んで発信する、といった具合です。またこれは1つの反省点なのですが、新しいものはシンプルで使いやすいしくみから始めることが大事なのだと感じました。

　Slackは外部のツールと連携もできますし、プログラミングができれば複雑なカスタマイズも可能ですが、最初から複雑なしくみをつくってしまうと、初めて使う人の頭はパンクしてしまいます。

　これは便利かなと初期にチャットボットを組み入れた際は「これはなんだ？　勝手に返信が来て気持ち悪い」といわれてしまったこともありました。

変革を進める「エバンジェリスト（伝道師）」の存在

　社内で新しいツールを導入したけれど、浸透せずにフェードアウトしてしまう。これって会社のあるあるではないでしょうか？

　どんなに便利な機能性を持つツールだとしても、ただ導入しただけで会社のカルチャーを変えられるわけではないですよね。

　実際にメインのコミュニケーションツールをEメールからSlackへ転換した当初は、抵抗感を持つメンバーもいました。特に多く聞かれたのが「Outlookなどのメールと比べてSlackは検索しにくい」という声です。Slackの場合はハッシュタグを活用すれば検索性が高められますが、使い方がわからなければ確かに不便だと感じるだろうなと思いました。

　Slackを社内に浸透させるために始めたのが、エバンジェリストチームの立ち上げです。エバンジェリスト、とは日本語では「伝道師」のこと。テクノロジーをわかりやすく解説し、啓蒙するという役割を担う人材で、特にIT業界ではエバンジェリストの活躍の場が広がっています。

　Ridgelinezの場合は、社内から自薦と他薦でエバンジェリストを募集し、チームをつくりました。エバンジェリストに期待したのは、単に使い方を教えるということではなく、Slackの魅力を伝えてもらうことです。

　まずは「Slackのどんなところに魅力を感じるのか」「どうやっ

たらみんなが使うようになるのか」ということを議論していきました。

議論の中で出てきたのが「Slackをビジネス以外のコミュニケーションにも使ってもらおう」ということでした。例えば、おもしろい映画のような趣味嗜好の話ができるチャネルといったものです。

また、初期段階で取り入れたのが「ITお困り事相談チャネル」です。ITツールについて困ったことを質問し、わかる人が気軽に答えていくことで、スレッドが履歴として残る。その履歴の蓄積は検索して読むことができるので、他の人の役にも立てるというわけです。

このチャネルには私もとても助けられています。誰かが困っているときにこのチャネルの中から当てはまるスレッドのリンクを送ってあげれば、それで解決してあげられるというのもとても便利です。

ITお困り事相談チャネル

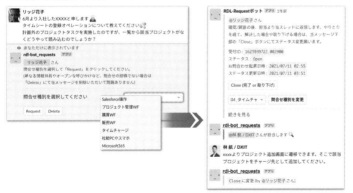

マニュアルとなると、自分の知りたいことを見つけるのはなかなか大変ですが、こうしたチャットで1問1答のような形で残しておけば、知りたいことをピンポイントで調べられます。誰かを助ける感覚でモノがつくられていく。こうした善意のコラボレーションが生まれるメタバースのありかたが私はとても好きです。

エバンジェリストはSlack文化の浸透にとても重要な役割を果たしてくれています。もしあなたがなにか新しいことを始めるのなら、ぜひエバンジェリストチームをつくることをおすすめします。頼りになる上司や周りを巻き込む力がある人などを誘ってもいいですし、やる気のある方を募ってみてもいいでしょう。

活動期間は短期でもいいですが、エバンジェリストはボランティア活動ではなく、オフィシャルに業務として認められた形で活動することが重要です。オフィシャルな存在となれば、周りの意識も高まります。

カルチャー変革のカギは「温かい空気をつくること」

「社内カルチャーを変える!」というと、なんだか大それたことに感じるかもしれません。

「役職もついていない若手の自分に何ができるだろう?」そんな不安を持つ人もいるかもしれません。

ですが私は、ボトムアップだからこそ魅力的なチャレンジができる時代が来たと感じています。メタバースを含めたデジタルテクノロジーが、あなたにたくさんのチャンスをもたらしてくれる

はずです。

　デジタルテクノロジーの最高の利点はトライ&エラーが容易であること。最初から莫大な費用をかけてツールを導入するとなれば、リスクも責任も大きくなってしまいますが、Saas型のサービスであれば無料で試せるプランが豊富です。どんどん試して、本当にしっくりくるものを見つけるのもアリです。

　私も人数が限定された無料プランからテスト的にSlackの導入を始めました。

　コストをかけずにチャレンジできれば、ボトムアップで組織を変えるチャンスも増えるでしょう。上から指図されるのではなく、自分たちが本当にいいと思う環境を自分たちの手でつくっていけたら、会社はもっとおもしろくなりますよね。

　とはいえ、ボトムアップで会社を変えるというのはもちろん簡単なことではありません。あなたがこれからチャレンジをするときには「スポンサー」を見つけてください。

　ここでいうスポンサーというのは、お金を出してくれる存在というよりも「あなたのチャレンジに共感してくれる幹部クラスの人」を指します。

　事業部をけん引するリーダー格の人で、デジタルに興味がある人やあなたが「かっこいいな」と思える人はいませんか？　思い当たる人をぜひ口説いてみてください。そうした影響力のある人が「僕は今からこれを使います」と宣言してくれたら、「あの人が使ってるなら私も使ってみようかな」「なんかかっこいいか

も」と、状況は徐々に好転していくはずです。

　日本は空気の文化といわれるように、空気をつくることが日本企業を変えるキーワードなのかなと思います。

　私の場合、自分がRidgelinez のリーダーなので、自分が立ち上げ人兼スポンサーという立ち位置で動いていました。当社のCEOへ定期的にSlack上にメッセージを出してくれるように依頼をしたり、極端な例だと「僕はもうメールを使わないからメールは送らないでね」と伝えてみたり。

　そういう姿勢を続けていると「佐藤さんはSlackだったらすぐに話せるよ」「佐藤さんはメールだとレスが来ないらしい」とみんながいい出して、徐々にSlackが浸透していった経緯があります。

　先述したエバンジェリストの存在や「ITお困りごと相談チャネル」のような善意のコラボレーションも含めて、個が熱意を持ってつくり出す空気というのはとても温かいものです。

　温かい空気はみんなを心地よくしますから、広まるのも早いのです。

　Slackを導入して2年ほどが経ち、私がお膳立てをする必要もなく、ああしたい、こういう風に使いたいと、自主的にSlackを使ってくれる人が増えました。

　定着するに従って投稿に関するクレームが入ることも出てきましたが、できる限り当事者が自主的に解決するようにお願いをし

て、大きな問題になりそうなときはSlack導入にかかわったメンバーが事務局として対応しています。

「仕事始めにはまずSlackをつなごう」という共通の感覚が定着し、メールを使っていたころに比べてコミュニケーション量は格段に増えています。

Slackからどんな化学反応が生まれるのか？　とても楽しみです。

Slackを導入してどう感じたか？

Slackを導入してチームメンバーがどう感じているのか。この本を執筆する際に2人のメンバーに尋ねてみました。

Oさんの場合

前職はメール文化でしたから、当初は正直、Slackのカジュアルさに戸惑った部分もありました。なかでも一番戸惑ったのは上司である佐藤さんにDMを送るときですね。こんなにくだけた感じで送ってもいいのかな、と。ただ、慣れていくと、カジュアルだからこそ、たわいない質問ができるようにもなり、コミュニケーションに対する自分の感覚が変わったのは非常によかったです。メールのように議事録みたいなやり取りをしなくてよいため、コミュニケーションに対するハードルが低くなりました。気軽に送れるので、ちょっと失敗しても大丈夫だな、と。

例えば「こんなことに興味があります」「ウェブサイトでこんな情報を見つけました！」と投稿してみても、内容によってリアクションが多かったり、逆に薄かったり。みんなの温度感が手に取るようにわかる

のは Slack 文化のすごくおもしろいところだなと感じます。

Tさんの場合

私の場合は前職でも Slack を使っていました。Ridgelinez でも使って
みると「会社によって使い方に違いがあるのだな」と気づくことがあり
ました。
前職はスタートアップのような雰囲気の会社だったことも影響してい
るのか、誰に対しても「いいね」とかニコちゃんマークを使っていて、
Ridgelinez よりもさらにカジュアルにコミュニケーションをとっていま
した。
この違いというのは、おそらく、もともと醸成されている会社のカル
チャーが Slack 上に現れるからかもしれません。
逆に Slack がオープンコミュニケーションの場になれば、企業文化を
醸成することもできると思います。いろいろなチャネルで流れてくる
メッセージを見るのは、ある意味 TikTok と似ている気がするんですよ
ね。特に見ようとしていない情報もついつい見ちゃうという。
この見ようとしていないのに見ちゃう情報の中には気づきや有意義な
情報もある。そうした発見を積み重ねられるのはオープンコミュニ
ケーションの魅力ですし、情報であったり社内の声がみんなに届く場
の存在が、企業文化のブラッシュアップにつながるのではないかなと
感じています。

国境の
壁を超える

－ 個の想いを世界へ発信 －

「この先、世界はどう変わっていくのか？」
そんな漠然とした不安を抱えてはいないでしょうか？
2022年2月、ロシアによるウクライナ侵攻が始まり、
世界中には、貧困や紛争によって苦しみ、
救いの手を待つ人たちがいます。

「平和で穏やかな世界であってほしい」
「戦争なんかしてほしくない」そう願っていても、
何も変えられない現実を悲しんでいる人もいるでしょう。
あるいは「遠い国で起きていることだ」と、
どこか他人事に感じている人もいるかもしれません。

世界の大きなうねりに対し、
1人では何も太刀打ちできないのでしょうか？
本章では、メタバースによって国境の壁を超えてつながり、
「個」の声を力に変える事例を取り上げます。
なかでもブロックチェーン技術を活用した取り組みは
スケールも大きく、希望を感じていただけるはずです。
あなたの想いを行動に変えるヒントとなれば幸いです。

あなたの価値観を 行動に変える

☐「ファイナルファンタジー XIV」で開催された抗議集会
☐ ウクライナ版『VOGUE』で見るファッション業界の変革
☐ 文化施設の修復につながる「オンライン博物館」

あなたが実現したいことを
想像しながら答えてみてください

・戦争や環境問題に対して「自分1人では何もできない」と
　思っていませんか?

・遠い国で起こる戦争について、どれだけ自分事として
　考えたことがありますか?

・「デモに参加するのはハードルが高い。もっと簡単に
　声を上げる場所が欲しい」と思いませんか?

メタバースで
実現できること

組織に所属せず、周りに合わせることなく、
自分の意思・考え・価値観をもとに
離れた場所へ思いを寄せることができる

「No War!」ゲーム空間で躍動する抗議集会

　ブルーとイエローのコーディネートで身を包み、広場に集まる人々。なかには祈りを捧げる人、大きな声を挙げている人もいます。

　これはオンラインゲーム「ファイナルファンタジーXIV」の中で行なわれた、ウクライナ侵攻に反対するプレイヤーたちの抗議集会の様子。

　プレイヤーたちはゲーム内でアバターの姿を借りて、戦争反対の想いをぶつけました。この抗議集会の様子は2022年2月末からゲーム内の複数の場所で開催され、ツイッターや交流サイトなどを通じて拡散されています。

　オンラインゲームの仮想空間に国境はありません。

　世界中のプレイヤーが人種も言語も関係なく集まることができる。そうした空間の中で開催されたこの抗議集会は「世界は平和であるべきだ」という純粋な想いの結晶なのではないかと思います。

　ウクライナから遠く離れた日本に住む立場で考えると、戦争を止めたいとウクライナやロシアへ出向いて運動を起こすことは命の危険にもつながりますし、ほぼ不可能に近いことです。

　こうした物理的な距離のある状態であっても、メタバースを使えば、世界中に想いを届けることができます。

　もしかしたらウクライナ現地の人々が見てくれるかもしれない。さらには現地の人の想いを聞けるかもしれない。メタバース上の

つながりが生まれることで、遠い国を身近に感じられるようにもなるかもしれません。

　自分が戦争反対だと声を上げることが、世界を平和にするための第一歩になるのではないか。ふと考えさせられた事例でした。

声を上げることのハードルを下げてくれる

　メタバースは、私たち個人が行動を起こすチャンスに溢れた空間です。今回は戦争反対というメッセージを取り上げましたが、環境問題や社会の課題に対しても、同じです。

　疑問に個々が声を上げることに意味があるはずですが、現実世界だと声を上げるには、デモや活動団体の活動に参加する必要があり、勇気が出ないと感じる人も多いのではないでしょうか。特に、日本では声を上げることの心理的なハードルの高さがあるように感じます。

　見知らぬ人たちに混ざって、集団に属するということは難しさもありますよね。集団のありかたについて「この意見には賛成だけど、あの部分には賛同できない」ということもあるでしょう。

　個の価値観を抑制する、妥協する場面が出てくる、というのもハードルが高くなる原因です。

　一方、オンラインゲームのようなメタバース空間は、個で構成された自由な空間です。自分が好きなゲームの中で、同じような価値観のプレイヤーとめぐり合えばラッキーですし、集団に属する必要もありません。

アバターという分身の力を使えることも安心材料です。個の意志が世界を変える日が来る。決して夢物語ではなく、メタバースにはそんな希望があるのです。

「印刷物がつくれない」国を追われた編集長の選択

ロシアのウクライナ侵攻によって、たくさんの人が祖国を離れることを余儀なくされました。今まで通りの生活はおろか、働く環境も奪われてしまう。世界20か国で発行されているファッション誌『VOGUE（ヴォーグ）』のウクライナ版編集長を務めるフィリップ・ヴラソフ氏は、「印刷物がつくれない」という致命的ともいえる環境に身を置くことになりました。

彼自身はポーランドへ避難し、ともにチームメンバーも散り散りに……。そうした過酷な状況の中で、彼はメタバースを使い

『VOGUE』を継続する道を選びました。オンラインでマネジメントを行ないながら、ウクライナ版『VOGUE』のウェブサイトを活用して、ウクライナ人の役に立とうと奮起したのです。

　彼はウェブサイトの中で、自らが避難したときの話を振り返り、このよう寄稿しています。

VOGUEウェブサイト

「国から離れたからといって、私たちが何の役にも立っていない訳ではない——決してない。ウクライナ人の友人たちは、避難する人や、今いる場所で生き延びようとする人たちを助け、母国で戦うことを選んだ人たちを支援している。資金調達のプロジェクトに取り組み、この戦争に対する世界的な認識を高めるために、できる限りのことをやっている。

私は、いまは散り散りになっている『VOGUE』チームのマネジメントを続けている。印刷物を発行することはできないのでデジタルに集中する。役に立ち、インスピレーションになるコンテンツをつくることで、ウクライナ人に力を与えようと努力している。誰かが『存在する権利がない』と見なした、私たちの国についての洞察を提供し続けるつもりだ。ウクライナ国内外にいる同僚たちは、昼間はボランティアで支援活動を行ない、夜はウクライナ版『VOGUE』のウェブサイトに記事を寄稿している。私はこのチームをとても誇りに思う。皆に神の祝福がありますように。」

※引用元：VOGUEウェブサイト

　離れた場所で暮らすメンバーをオンライン上でマネジメントしながら、メディアの発信を続ける。こうした取り組みもまた、広義の上でのメタバースです。

　絶望的な状況の中で彼らの信念に基づく行動を後押ししているのは、メタバースが持つ「分散性」だと感じています。

　島国である日本に暮らす私たちにとって「世界の人と協業する」というのは難しいことだと感じるかもしれません。ですが過酷な状況下でも発信を続けているウクライナ版『VOGUE』の事例を知ると、勇気が湧いてきませんか？

　物理的な距離という壁は、メタバースが取っ払ってくれる時代が到来しています。大事なのは、私たち自身が「できないかもしれない」という心の壁を取り払うことなのです。

メタバースでファッション業界を支援〜NFTの活用〜

　ウクライナ版『VOGUE』では、ウクライナのファッション産業を支援するため、メタバースのプロジェクトを開始しました。NFTのマーケットプレイス「The Dematerialised（ＤＭＡＴ）」と提携し、物理的なファッションアイテムをNFTに変換して購入できるようにしたのです。

　戦争によって、苦境に立たされたウクライナのファッション業界。困難な状況の中でも、デザイナーたちの収入が途絶えないようサポートするためのWeb３を使った新しい取り組みです。

　このプロジェクトでは、ウクライナで活躍する３人のデザイ

ナーにスポットを当てています。彼らがファッションショーで発表したデザインをNFTとして商品化して販売。販売されたNFTの収益はデザイナーに還元するというしくみです。

VOGUEのNFTプロジェクト

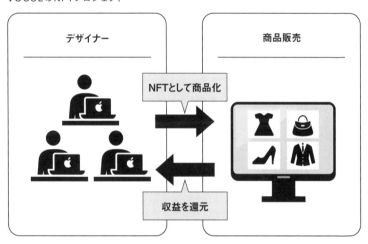

NFTの購入者には、@vorgue_ukraineのハッシュタグをつけて、購入したアイテムを使ったバーチャルなスタイリングをソーシャルメディアでシェアするよう招待が届きます。ウクライナ版『VOGUE』はシェアされた投稿をキュレーションし、紹介します。

DMATにはユーザーがゲーム感覚でデザインを体験できるスペースも登場し、ユーザーへ新しいファッションの楽しみ方を提案しています。

編集長のヴラソフ氏は「この困難な時代にウクライナのファッ

ション業界が生き残り、存続するための手助けをすることは、私たちの新たなミッションの１つだと考えています」とコメントしています。

ファッションとの新しい付き合い方を見せてくれる

　このプロジェクトでNFTを購入する人たちの気持ちを想像すると、とても複合的なものを感じます。
「好きなデザインのアイテムが欲しい」というだけではなく「デザイナーを応援したい」「ウクライナの人々を支えたい」といった善意の意志がアクションにつながっているからです。

　遠く離れた国のデザイナーを自分の手で直接支援できるとは、とてもうれしいことですよね。これもまたメタバースの分散性が十分に生かされた取り組みです。

　また、物理的なファッションアイテムを生産し販売するには、多くの工程が必要です。利益も分配されていきますから、高い収益をあげられるデザイナーはほんのひと握りでしょう。

　NFTはそうした物理的な生産体制や商習慣などを気にすることなく販売が可能です。デザイナーにとってはブランディングの手段となり、収入を得るチャンスにもなります。

　NFTのマーケットプレイス「The Dematerialised（DMAT）」は、過去にも、カール・ラガーフェルド（KARL LAGERFELD）やニコラス・カークウッド（NICHOLAS KIRKWOOD）などと提携し、Web 3でファッションと人々を結ぶ取り組みを行なって

います。

　ふだん服を購入するとき、デザイナーの顔を思い浮かべる人は少ないのではないでしょうか。ウクライナ版『VOGUE』の取り組みは、消費者とデザイナーとの距離を近づけ、ファッションの新しい楽しみ方を提案してくれているようにも見えます。

NFTによるオンライン博物館の収益で現実の文化施設を修復

　ウクライナではもともとブロックチェーンの技術者が活躍しているという背景もあり、NFTを活用して国を支える取り組みが進められています。

　2022年7月、ウクライナの文化情報政策省によるある発表が話題になりました。
　ロシア・ウクライナ戦争の記録を目的とした政府運営のオンライン博物館「Meta History: Museum of War」が、NFTの販売によって暗号資産（ETH）を調達したというのです。発表時点の時価で換算すると130万ドル相当。調達した収益は、戦争によって損傷を受けたウクライナの文化施設の修復に充てられると述べられています。

　「Meta History: Museum of War」はウクライナ政府が2022年3月に立ち上げたオンライン上のプロジェクトで、戦況を物語るアートをNFTとして販売するほか、アート作品のチャリティー

オークションなども行なっています。

バーチャルなつながりからリアルなつながりへ

　支援というと募金活動が頭に浮かびますが、ウクライナの例は募金ではなく「NFTの購入＝自分の手元にモノが残る」というところにメタバースを活用する意味が感じられます。

　自分が購入したNFTを眺めることができたら、ウクライナに想いを馳せる時間も増えるのではないでしょうか？

　NFTを通して生まれるのは「手ざわり感」のあるコミュニケーションの輪です。ウクライナへの理解や関心が育まれれば、将来的にはウクライナへ訪れる外国人が増えるといった、バーチャルからリアルなつながりを生み出す可能性を秘めています。

　ウクライナの情報技術開発を担当するデジタル変革副大臣のアレクサンドル・ボルニアコフ氏は、ブロックチェーン技術の活用について、「NFTがロシアのミサイルを止めることはないが、ブロックチェーン技術はウクライナの経済復興と、イノベーションフレンドリーな国としての発展に貢献するだろう」とコメントしています。

　ウクライナの数々の取り組みは、メタバースが持つ、人と人のつながりを再構築する力を改めて感じさせてくれるものでした。

「購入」というシンプルな行動が個人の意志表明になる

「ファイナルファンタジーXIV」内で開催された抗議集会の事例と同様に、NFTは個人の意志を気負わずに表明できる手段の1つです。

　毎日お昼ごはんを買うのと同じような感覚でNFTを購入するだけでも、自分の声をあげるきっかけになります。

　SNSでシェアすれば自分の主張として広めることもできますが、政治的な話題を出したくなければ「素敵だったから買っちゃったんだ」といったっていい。

　あなた自身が心の中で「何をしたいか」「どう考えているのか」を明確に意識できれば、それだけでも十分だと思うのです。

　ウクライナの例でいえば「困っている人を助けてあげたい、だからNFTを購入した」。それだけで価値のある一歩です。

「世界のあり方に不安がある。だけどどうしたらよいのかわからない」と、戸惑いながらも立ち止まっているとしたら。メタバースの力を借りて、一歩前に踏み出してみませんか？

Before

周りの人と違う意見
かもしれないから
自分の考えを
話しにくいな……。

After

素敵なNFTアートが
あるから、周りの人に
伝えてみよう！

遠い国の
街づくりに参加する

☐ 現地住民が街づくりを行なう「オープンタウンプロジェクト」
☐ 自らつくることも可能なデジタルアート

 あなたが実現したいことを
想像しながら答えてみてください

・遠い国を支援したいが、募金しかできることはないと
　思っていませんか？
・リアルな街づくりに参加してみたいと思いませんか？
・社会や地球環境のためにもっと自分にできることはないか、
　探してみませんか？

 メタバースで
実現できること

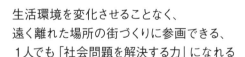

生活環境を変化させることなく、
遠く離れた場所の街づくりに参画できる、
1人でも「社会問題を解決する力」になれる

NFTを活用した世界の街づくりプロジェクト

　　——新興国の中には今もなお、井戸も貯水タンクもない、インフラが十分に整わない環境で暮らす人たちがいる。

　こうした事実を知るたびに、どうにかしてあげたい、助けになりたいと思っても、アクションを起こすのは簡単ではありません。

　自分1人でできることは限られていることに加え、言語も文化も違う土地であれば、さらにハードルも高くなるでしょう。

　海外青年協力隊に入るといった手段もありますが、休職や退職など人生設計を考え直す必要も出てくるため、気軽に参加できるものでもありません。

　できることといえば、支援組織を通じて寄付をすること。そう考えて寄付を続けている方もいるのではないでしょうか?

　今、メタバースによって支援の新しい形が生み出されつつあります。

　寄付型クラウドファンディングサービスなどを行なう株式会社奇兵隊の子会社エストニア法人 KiHeiTai Estonia が始めた「オープンタウンプロジェクト」は、NFTを活用し、NFT購入者と支援地域の現地住民が協力して街づくりを行なうという画期的なプロジェクトです。オープンタウンプロジェクトはウガンダのカルング村で第1弾をスタートし、制作したデザインアートは「Savanna Kidz NFT」として販売されています。第2弾としてインドネシアのロンボク島のプロジェクトも開始されました。

オープンタウンプロジェクトのしくみ

① デジタルアートを制作し、コレクティブ NFT（収集性が高い
　 NFT）として全世界に販売する

② NFT の売上は新興国の街づくりの資金とする

③ NFT の購入者（DAO コミュニティ）は「街づくりの仲間」となり、
　 アイデアの提案や、議論への参加、プロジェクトの方針を決める
　 投票などを通して街づくりに参加できる

④ NFT の購入者は、街づくりの様子をオンラインで確認できる。

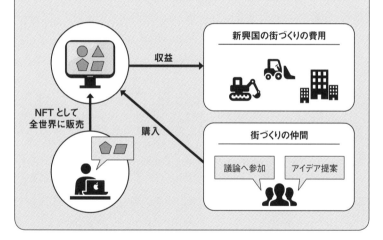

一緒に街づくりを楽しみ、継続的に支援できる

　もっとも画期的なのは、NFT購入者が街づくりに参加できる
点です。NFTを購入すること自体も金銭的な支援につながりま

すが、自分の意見が街づくりに活かせるのです。

　現地で暮らす人々と世界中のNFT購入者が仲間としてつながり、現実世界の街づくりを行なっていくとは、なんとも夢のあるプロジェクトでしょう。NFT購入というメタバース上のコミュニケーションが現実世界を変えられることの証明ともいえます。

　またNFTの販売、つまり「商取引」によって資金を調達するという点も、社会貢献活動として重要な意味を持っています。

　補助金や寄付によって運営されるNPO団体は数多く存在しますが、自ら資金を生み出す力がなければ、思うような活動ができない、継続的な運営が難しくなるというリスクがあります。

　対して今回のオープンタウンプロジェクトは、自ら商品（デザインアート）をつくり、販売できるのですから、経済的に安定した運営が期待できます。

村に新しい雇用を創出。メタバースが社会問題を解決する

　ウガンダのカルング村で行なわれているオープンタウンプロジェクトでは、続々と現実の村が豊かに生まれ変わりつつあります。

　NFT購入者による第1回の投票で決まったのが「水道のない村落への貯水タンクの設置」です。

　清潔な水を供給するために雨水貯水タンクを設置しました。以前は子どもたちが毎日片道6㎞も先の川へ水を汲みに行っていましたが、貯水タンクによって状況が改善されました。

　第二回の投票では、NFT購入者による投票に加えてカルング

村の現地住民による投票も実施されました。その結果、「小学校や孤児院施設を改善する工事」が決定。小学校は窓もドアも床すらない仮設の状態でしたが、新校舎の完成によって子どもたちが快適に学習できる環境が整いました。

　貯水タンクの建設にあたっては村の住民を雇用し、13人の新しい雇用が生まれました。設備を整えるだけでなく雇用機会を増やすという、貧困脱却に向けたポジティブなサイクルが回り出したのです。

　オープンタウンプロジェクトでは、NFT購入者たちが「カルング村を助けたい」という志のもと、1つのコミュニティとして街づくりに参加しています。

　実際に私も購入してみると、「いつかカルング村の小学校に行って話してみたい」という想いが芽生えました。

　このようにブロックチェーン上で人々が協力して運営する組織（コミュニティ）を「DAO（自律分散型組織：Decentralized Autonomous Organization）」と呼びます。

　リーダーのような決定権を持つ管理者はおらず、参加するメンバーによって自律的に運営されることが特徴で、共通する志や目的を持つ世界中の人々と協働できる、Web3時代の新しい組織のありかたとして注目されています。

　オープンタウンプロジェクトが遠く離れた国の街づくりを支援し、貧困問題の解決にも貢献しているように、DAOを取り入れることでメタバースは大規模かつ多面的なインパクトを社会に与えるのです（第8章でDAOを活用した事例を詳しく紹介）。

デザインアートの一例

　本章ではNFTやDAOといったWeb3のテクノロジーに着目し
た事例をいくつかご紹介しました。少し難しいと感じた方は、一
度体験することが理解への近道となるでしょう。

　今ではすっかり定着したSNSも、最初は何のことやらわからず、
触れることにも勇気が必要だったはずです。試しにInstagram
やTwitterにアカウントを登録して、投稿をしたり、「いいね！」
をしたりするうちに、自然と馴染んだのではないでしょうか。

　メタバースも、まずは実践してみることで意外と身近なツール
であることが体感できます。

　ただし、注意をしていただきたいのは、NFTやDAOは大変希
望のある存在であると同時に、中には投機的な利益をねらったリ
スクの高いプロジェクトも存在しているということ。プロジェク
トの選択はどうぞ慎重に行なってください。

メンタルの
壁を超える

- 共感から始まるD&I -

――あなたは日常をあなたらしく生きていると感じていますか?

　　学校や職場、家族、友人関係と、さまざまなコミュニティを
　　生きる私たちは、「男性／女性」「職業」「親／子ども」
　　「既婚者／未婚者」と、「社会のタグ」を付けています。
　　「周りから期待される自分像」もタグの1つでしょう。
　　タグにはジェンダーや文化、歴史、個人の価値観といった
　　さまざまな背景からつくられる「あるべき像」があります。
　身近なところでいえば、男らしさ、女らしさがそれにあたります。

　　　1人ひとりが違う人間であることは当たり前なのに
　「あるべき像」を期待されて、本来の自分を抑えてしまう。
　　　自分が劣っているのではないかと落ち込んでしまう。
　　　　　　そんなことはないでしょうか?

「普通」という言葉もまた、固定されたイメージを強いるものです。
　　「これをできるのが普通」の基準は、人それぞれで、
　　　　　　非常にあいまいなものです。

　　　本章では、自分を抑えてしまう、生きづらいといった、
「メンタルの壁」を超えるためのメタバースの活用事例を取り上げます。

バーチャル空間で
自分らしく生きる

☐ 第2の自分としての可能性を見出す「セカンドライフ」
☐ ニューロダイバーシティ（神経多様性）

- -

あなたが実現したいことを
想像しながら答えてみてください

・「自分は少数派だ」と感じることはありますか？
・「男らしさ・女らしさ」とは何だと思いますか？
・自分をもっと好きになりたいと思うことはありますか？

- -

⋁

! メタバースで
実現できること

誰だって少数派！　社会に合わせるだけでなく、
「自分らしさ」を追求しながら可能性を見出す
バーチャルアビリティの発揮

第2の人生を生きる「セカンドライフ」

「セカンドライフ」とは2003年にリリースされた3DCGでつくられたオンライン上の仮想空間で、メタバースの先駆けともいえるものです。利用者はアバターを操り、住民と交流しながら生活します。空間内では施設の建設、店舗経営、ライブの開催なども思い思いの活動ができます。

リリースされた当時は一時的にブームになりました。その後他のSNSほど大きくはならなかったのですが、最近ブームになっているメタバースの特徴の多くを、早くから実現しているパイオニアとして、再評価されています。そしてそこを今も楽園として住み続けている人々がいます。

比較文化論やネットワーク論から日本社会を見直す研究をしている歴史社会学者の池上英子さんは、バーチャル空間「セカンドライフ」の中で活動する自閉症スペクトラムの人々との交流を通して、メタバースが現実世界の生きづらさを解消し、第2の自分として生きる可能性を見出しておられます。

池上さん自身もアバターをつくってセカンドライフの住人として暮らしながら、100人を超える自閉症スペクトラムの人たちのアバターと交流しています。

以下に、池上さんが研究し発信しておられる内容を要約しご紹介します。

◆◆◆

　いわゆる定型発達の人と自閉症スペクトラムの人との違いとして、脳での情報処理の仕方が違うといわれています。同じものを見聞きしていても、見え方や捉え方が違います。

　例えば、あなたが風景の写真を撮ったとき。自分が目の前で見ている風景と、撮影した写真のイメージが違うと感じることはありませんか？　それは気のせいではなく、脳によって目で見た風景に立体感を加えたり、情報を補完したりといった加工がされているからだといわれています。

　脳の働きによって、同じものを見ていても人によって見え方が違う。つまり私たちが見ているのは現実ではなく、自分の脳内世界だといえます。セカンドライフでは、それぞれが見えるもの感じているものをつくる自由度が高い仮想空間なので、お互いの脳内世界を見える化し、伝えあうなんてことも可能です。

　脳内世界の見える化は、共通言語を生み出すことだともいえます。自閉症スペクトラムの人にはどのように物が見えているのか、どう感じているのかを私たちが一緒に体験できれば、相互理解にもつながっていきます。

　物理的な制限を超えて自由な世界を描くことができるセカンドライフでは、それぞれが頭で思い描くイメージを空間として表現しています。

　ひとことで自閉症スペクトラムといっても、個性はさまざまですが、セカンドライフを使いこなすことで生きやすい方法を見つけ、自分らしさを表現している姿がありました。

　ラリーさんは、器用に5人のアバターを使い分けています。マルチタスクが苦手なラリーさんは、それぞれ別人として1つずつ作業をこなしていけば解決できるというのです。

　ラリーさんが5人のアバターを動かすのは大変だと思うのですが、情報処理の方法が違う脳がなせる技なのでしょう。

　音、光、触覚などの感覚過敏を持つコーラさんの場合。

　現実では刺激によってパニックを起こしてしまうそうですが、セカンドライフの中では沈着冷静に的確な意見を上手に伝えられるといいます。

　現実世界では周囲の音や光や臭いをシャットダウンしたりコントロールしたりすることは難しいですが、オンライン上の空間であれば感覚系の負荷を減らして目の前のことに集中することができるのです。

　空想上の生き物に扮したアバターになることで、ファンタジーの世界に身を置く人もいます。

　自閉症スペクトラムであり、バイセクシュアルでもあるマラカイさんは、アバターの着せ替えを10種類以上も持っています。自閉症スペクトラムであることや自らのセクシュアリティを親から受け入れてもらえなかった悲しい過去を持つマラカイさんは、自分らしさを受け入れてくれる場所を求めていました。

アバターを使って社会に期待される自分像から離れ、なりたい自分になる。そしてその自分を受け入れてくれる仲間がいるセカンドライフは、マラカイさんにとって大切な居場所なのです。

ラリーさんは「現実世界は私にとって難しいことだらけだが、セカンドライフはずっと簡単だ」と話します。

現実世界とセカンドライフ、つまりバーチャル空間との違いは「自分の手で情報の受け入れを自由にコントロールできること」。

感覚が過敏な人にとっては、五感への刺激を自分のタイミングで受け取れる状態が大きな平穏なのです。こうしてセカンドライフは、自閉症スペクトラムの人々が安心して暮らせる楽園として存在しています。

自閉症スペクトラムの人々が生き生きと暮らすセカンドライフ。この空間は彼らの素晴らしい才能が開花する場所でもありました。

先述した5人のアバターを使い分けているラリーさんは、セカンドライフの中で、カリスマクラブDJという顔を持っています。

毎週土曜日、彼は自分が建てたクラブハウスでライブを行ないます。彼の音楽を求めて、世界中からアバターが集合します。彼の作曲センスやオーディエンスを巻き込み盛り上げるDJぶりは大人気で、セカンドライフ内では有名なスーパースターなのです。

ラリーさんの作曲スタイルはとても感覚的です。ふと頭の中にメロディーが聞こえてきて、それを音楽制作ソフトに入力するのだそうです。まさに天才的な感覚ですね。オーディエンスを盛り上げることも、彼にはとても安らかで最高の時間。純粋に音楽に

没頭し、集まった観客とはテキストでコミュニケーションができる環境だからこそ、穏やかな気持ちでラリーさんらしさを発揮できるのでしょう。自閉症スペクトラム症の人だけでなく、さまざまな障害を持った人々が、仮想空間の中で団体をつくったり集い合いの場を設けたりしています。そして自分らしく生きられる環境を仮想空間の中でつくり上げているのです。

　セカンドライフでは人前に立ち、人々を楽しませているラリーさんですが、現実世界の暮らしは対照的です。
　現実世界では人の少ない夜のスーパーマーケットで商品の棚卸の仕事をしています。夜勤を選ぶのはパニックを起こしづらいから。始業は夜の12時ですが、不安になるために10時前には職場に到着するように家を出る生活。父親から車の運転を許されなかったために、車で10分ほどの職場へ、バスを乗り継ぎ45分もかけて通勤しています。
　現実世界では困難に立ち向かいながら、セカンドライフの中で安らかな幸せを見出しているラリーさんを見ていると「彼にとって仮想と現実のラインはどこにあるのか?」という疑問が湧いてきます。

　おそらくラリーさんのような自閉症スペクトラムの人々にとっては、現実世界よりもメタバースのほうが「生を実感できる空間」、つまりリアルなのではないでしょうか。
　セカンドライフが登場した2003年は、まだブロックチェーンの技術もありませんでしたが、セカンドライフではリンデンドル

という米ドルと互換性のある通貨が発行されていました。アバターの身体のパーツや最近のファッションを売る店も今でもたくさんあります。ただ今までのところそうした経済活動は趣味や小遣い程度の話です。しかしパンデミックがリモートワークを広げ、メタバース経済圏が広がれば、ラリーさんはスーパーマーケットで働かずとも、メタバースのアーティストや人気ＤＪとして生計を立てていけるかもしれません。

　未来のメタバースを社会的に公正なものになるようにしたいと池上さんは言います。

※池上英子氏 著書
　・『ハイパーワールド：共感しあう自閉症アバターたち』2017年３月／NTT出版
　・『自閉症という知性』2019年３月／NHK出版
　・『江戸とアバター　私たちの内なるダイバーシティ』2020年３月／朝日新聞出版

Ｄ＆Ｉの実現とメタバース

　私はセカンドライフの事例を通して、メタバースは「Ｄ＆Ｉ（ダイバーシティ＆インクルージョン：性別や国籍、年齢、身体的特徴等、さまざまな違いを尊重し、個人の力が発揮できる状態）」の実現に深く関わってくると考えるようになりました。

　バーチャル空間、つまりメタバースが現実と同じように生きる価値を見出せる空間であれば、現実世界にこだわる必要はないのかもしれません。

　現実世界は、障害を持たない人を基準として物理的なしくみや常識が決められた社会です。それゆえに、障害を持つ人は障害を持たない人の基準に合わせざるを得ない部分が多々発生します。

　また、性別や見た目といった特徴を現実世界で変えることは
ハードルが高く、生まれ持った物に影響されて自信が持てず、自
己肯定感が低くなってしまうという人もいるでしょう（私の場合
は男性としては背が低いほうなので、若いころはコンプレックス
を抱えていたものです）。

　こうした社会の中では、マジョリティとマイノリティの間に
「同情」は生まれても「共感」を生むことは非常に難しい。
「同情」は自分の立場を変えずに、相手を 慮 ること。自分と異
なる立場の人という認識で「かわいそうだね」「大変そう」など
といっているうちは、「同情」で留まっている状態です。これで
はお互いの関係性や生き方が変化しません。

　一方で「共感」は、相手と同じ立場に立ち、自分事として相手
の気持ちを考えること。同情とは似て非なるもので、この共感が
生まれて初めて、誰もが生きやすいD＆Iが実現されていくはず
です。

同情と共感

この「共感」の第一歩として、私たちがセカンドライフのようなバーチャル空間に飛び込めば、あらゆる人とフラットな立場で接することができ、相手の脳内世界を一緒に体験することもできます。彼らの才能に圧倒されることだってあるでしょう。

　例えば、ラリーさんは現実世界では障害を持っているとされますが、セカンドライフの中において障害は関係なく、むしろ優れた才能を開花させています。アバターを使えばどんな自分にもなれる。マラカイさんのように空想上の生き物にもなれるのです。

　障害のあるなしを超えて共感を生み出すメタバース。D＆Iを飛躍的に前進させる原動力となるかもしれません。

　そしてあなたがもし「もっと自分に素直に生きたい」と思うことがあれば、メタバースの中で第2の自分として暮らしてみてほしいと思います。あなた自身のバーチャルアビリティを発揮できるかもしれません。

神経の多様性＝ニューロダイバーシティという考え方

　自閉症スペクトラムやＡＤＨＤ（注意欠陥多動性障害）、ＬＤ（学習障害）など、脳や神経回路の違いを障害ではなく個性や多様性と捉える「ニューロダイバーシティ（神経多様性)」という考え方があります。

　セカンドライフの研究を行なった池上さんもまた、ニューロダイバーシティの提唱者の１人です。そしてニューロダイバーシティの理解促進に向けた取り組みもまた、メタバースを活用した環境で行なわれています。そのうちの３つの事例を紹介します。

ニューロダイバーシティ理解促進の取り組みの例

① 自閉症学超会議

「自閉症スペクトラムを障害ではなく1つの"個性"、1つの"知性"のありかたとして捉え、コミュニケーションと経済発展を中心とした現代社会に問いかける」をテーマとしたイベント。第1回は2022年4月にバーチャル空間（Virbela：バーベラ）を使い開催。哲学、心理学、文化人類学等、専門家によるセッションや、アート展覧会や発達障害自助グループとの交流などが行なわれた。

自閉症学超会議の様子

自閉症学とは「自閉症にアプローチすることで、現代社会や今を生きるわれわれ人間のことをあらためて問うことができるという考えに基づき、「心理学」「哲学」「文化人類学」「法律」「文学」「生物学」など、文系・理系問わず多様な学問・切り口から自閉症を捉え、今の時代と人間理解を深める全く新しい試み」のこと。

② 生きづらさ＆メタバース「メタバース当事者会Realize」

発達障害を持つエンジニアのオギーさんが主宰する、生きづらさを抱えた人々による交流会。オギーさんは「メタバースが生きづらさを抱える人たちを手助けしてくれる」と考え、メタバースプラットフォーム（cluster）を活用して参加者を募り、「生きづらさを抱えながら楽しく生きる」方法やメタバースの知識などを共有している。

③ 行動療法に没入型ＶＲを活用

Floreo 社は神経多様性を持つ子どもたちが社会生活で役立つスキルを学べるＶＲゲームを提供している。社会性や安全に暮らすための行動や感情をコントロールする練習、アイコンタクトなどがゲーム空間で学べる。

神経が過敏な子どもたちは現実世界に出ると受け取る情報量が過剰となり、混乱してしまう。ゲームの中で学習に集中できる環境を用意しレッスンすることで、現実世界に溶け込みやすくしていく。

子どもたちのＶＲ内での交流の様子はリモート環境で臨床医がチェックできるため、必要に応じてレッスン計画の調整も可能。

アバターを使って
「新しい自分」に出会う

☐ アバター就労支援「ふくおかバーチャルさぽーとルーム」
☐ 企業の採用活動にアバターを導入

 あなたが実現したいことを
想像しながら答えてみてください

・全くの別人になれるとしたら、何がしたいですか？
・自分の容姿や性別のせいで我慢していることはありますか？
・対面だと緊張して上手く話せないと感じたことはありませんか？

！ メタバースで
実現できること

社会の通説や風潮に無理に合わせることなく、
1人ひとりに適した環境で
コミュニケーションをとることができる

自分らしさの解放を求める私たち

　セカンドライフのようなメタバース空間で住人は、アバターに扮して好きな顔、ファッションや髪型、あるいは人間以外の生物の姿となり生活をしています。

　現実世界における性別や職業、ステータスはオープンにする必要もありません。

　もう1人の自分をつくり、自分らしく仮想の空間で生きていく。

　こうしたアバター＝第2の自分をつくりたいという気持ちは、デジタルテクノロジーの普及以前から現代までずっと存在する、私たちが胸の内に抱えている欲求ではないでしょうか。

　2022年8月にリリースされた『可愛くてごめん』という曲が、若者を中心にTiktokで人気を集めました。この曲の魅力について、同僚のお子さんに聞いてみたところ、「自己肯定感を感じるための歌だからいいんだよ！」とのこと。

　男らしさよりも女らしさよりも「自分らしさ」を大切にしたい。周りから変わり者だとバカにされてもいい。

　我慢せずに自分を一番大切にする。いつの時代も人は「自分らしさが受け入れられる場所」を求めているのではないでしょうか。

　単に名前を変えるだけでなく、アバターは見た目も声も変身することができます。

　「自分がいつもと違う姿であることを認識すると、心を開きやすくなる」。第3章でご紹介した都立大学の研究のように、アバターを使ったコミュニケーションが脳の反応に変化をもたらすこ

とがわかっています。

　もしかしたらアバターを着るという行為が、脳の準備体操のような役割を果たしているのかもしれません。自分がいつもと違う姿や声をしているという刺激によって、使われていなかった脳の領域が活性化され、新しい能力が花開く、という仮説も考えられます。

　テクノロジーの進化によって、アバターはエンターテイメントだけでなく、ビジネスなど幅広い場面で活用されるようになりました。第2の自分が癒しの場所となるだけでなく、現実世界でも自分らしく生きるためのツールとして存在感を発揮しています。

アバターを使って若者の就労をサポート

「働きたいのに外出ができない」。ひきこもりなどのコミュニケーションが苦手な若者に対して、福岡県が始めたのが、メタバースによる就労支援の実証研究です。

　県が管理するメタバース内に開設された「ふくおかバーチャルさぽーとROOM」では、参加者が自分の分身であるアバターを使って就労支援を受けることができます。

ふくおかバーチャルさぽーとROOMの様子

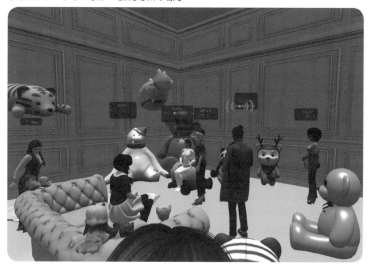

　ルーム内ではスタッフへ個別相談をしたり、同じ悩みを抱える他の参加者たちとざっくばらんに話をしたり。

　顔を見せ合う対面では人と接することが苦手な人々が、メタバースでは積極的に話しかけるという変化が見られ、今後の成果が注目されています。

　参加者もアバターの動きやメタバース空間そのものを楽しみながら、対面のときよりも緊張せずに話している様子だということです。

　心地よいコミュニケーションというのは人それぞれです。直接会ったほうが話しやすいという人も多いでしょうし、「ふくおかバーチャルさぽーとROOM」の参加者のように、顔を隠した方がリラックスできるという人もいます。

　画一的な手段をスタンダードだと強制するのではなく、その人に合ったコミュニケーション手段で社会に参加できれば、生きづらさの解消にきっとつながります。

　これからは、メタコミュニケーションの多様性が自分らしく生きる後押しとなることを期待しています。

企業の採用活動にアバターを導入したら？

　コロナ禍ではZoomなどの会議ツールを使った採用活動が一気に普及し、直接会わないまま内定をもらうことも増えました。

　一方で「会議ツールでは非言語の情報が得られにくい」「場が盛り上がらない」といった課題も見つかり、企業側は模索を続けています。

　そうした中、ＶＲ空間を使った採用活動について、株式会社Synamonと株式会社ジィ・シィ企画による合同調査としてある実験が行なわれました。ＶＲ空間内でアバターとなった学生たちに会社説明会やグループディスカッションに参加してもらい、Web会議ツールで開催するときの違いを調べるというものです。

　プログラムを体験した学生へのアンケートではのうち、アバターを使うことが影響していると思われるものを一部紹介します。

同じオンライン上の空間であっても、顔を見せ合う会議ツールなのか、アバターを使う空間なのかの違いで感想に違いが生まれています。

事例の調査項目にはありませんでしたが、面接もアバターを使えば違った反応が見られるかもしれません。あがり症の人が緊張せずに話せるようになれば、自分のよさを発揮するきっかけになります。

セカンドライフの中でいきいきと暮らすラリーさんにとって、アバターは豊かな人生を送るためのかけがえのないパートナーです。サイバネティック・アバター※生活は、すでに実現しつつあ

るといえるでしょう。

　そして現実世界においても、ロボットをアバターとして活用する取り組みがすでに始まっています（次章で詳しくご紹介します）。

　かつてＳＦ映画で観ていた夢の世界が、次々と現実のものとなっている今。価値観や心のありかたもシフトチェンジして「自分らしさ」をポジティブに楽しめる時代が来るのではないかとワクワクしています。

※サイバネティック・アバター：オンライン上のアバターやロボットのほか、人の身体的能力、認知能力及び知覚能力を拡張するICT技術やロボット技術を含む概念を指す。

　ぜひ知ってください。メタバースには自分らしく生き、新たな才能を開花させる力があること。そして現在進行形で多くの人が救われていることを。

　あなたがつけている社会のタグをすべて外して、まっさらな自分になれたとしたら……。まったく新しい人生が切り拓けるかもしれません。

フィジカルの
壁を超える

― リアルとバーチャルが1つになる世界 ―

――もしも歩けなくなってしまったら。
――身体を動かせず、寝たきりの生活になったら。
　あなたはどう人生を過ごしたいですか?

　病気やケガ、老いによって身体の自由を奪われたら、
　生活のさまざまな場面で物理的な制約が発生します。
　　行動範囲が限られる、介助が必要になる……。
　これもできない、あれもできないとなってしまえば、
　身体だけでなく、心にも暗い影を落とすでしょう。
フィジカルな問題にとらわれず、自由に社会へ参加できたなら、
　　どんなに素晴らしい社会になるでしょうか。

　本章では、リアルとバーチャル空間のシンクロによって
　フィジカルの壁を越えたコミュニケーションを生み出す、
　　画期的なメタバースの事例をご紹介します。

　　社会参加の選択肢を広げ、1人ひとりが
　　幸せを実感するために存在するテクノロジーは、
　　きっとあなたをワクワクさせてくれるはずです。

すべての人に
社会とつながる選択肢を

☐ 働き方の多様性「分身ロボットカフェ DAWN ver. β」
☐ 海外旅行や人とのつながりを可能にする「OriHime」

 あなたが実現したいことを
想像しながら答えてみてください

・身体的な働きづらさを感じたことはありませんか?
・あなたが望む働き方ができていますか?
・今の環境で孤独に悩むことはありませんか?

 メタバースで
実現できること

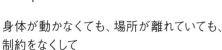

身体が動かなくても、場所が離れていても、
制約をなくして
働き方を選択することができる

海外にいる人と寝たきりの人がともに働くカフェ

　東京都中央区にあるカフェ「分身ロボットカフェ DAWN ver. β」は、「OriHime（オリヒメ）」と呼ばれる分身ロボットが店員としておもてなしをするユニークなお店。

　テーブルにつくと、注文用タブレットの横にいる高さ30cmほどの小型のOriHimeが話しかけてくれます。

「こんにちは！　今日はどちらからいらしたんですか？」
「私は今、大阪にある自宅のベッドからロボットを操作してお話ししています」
「OriHimeはツッコミのポーズもできるんですよ」

　ロボットが話しかける、というと機械音のような声を想像するかもしれませんが、聞こえてくるのは生身の人の声。

　そう、このOriHimeたちは自動制御で動いているのではなく、人が遠隔操作をしているのです。

　OriHimeを操作しているのは「パイロット」と呼ばれる、病気や先天性・後天性の障害など、さまざまな原因によって移動を困難とする人々です。パイロットたちは日本や海外の自宅からオンラインでOriHimeにアクセスし、遠隔操作で接客を行なっています。

　店内には、この30㎝ほどのOriHimeの他にも、さまざまなタ

イプのOriHimeが働いています。

　例えば、注文した商品を配膳してくれる120ｃｍほどの背丈の
OriHimeもいて、同じサイズのOriHimeが入口でお客さんの案内
もしてくれます。

OriHimeが配膳している様子

　私の同僚が実際にお店へ訪問した際に印象的だったのは、パイ
ロットたちがOriHimeを通してコミュニケーションを楽しみ、
いきいきと働く様子だったそうです。

　働く楽しさ、人と人とのつながり、必要とされる実感を得られ
る時間。OriHimeがパイロットにもたらす喜びは計り知れません。
ロボットを介してバーチャル空間と現実世界のコミュニケーショ
ンが融合する、理想的なメタコミュニケーションのありかただと
いえます。

カウンターで器用に指先を使ってコーヒーを淹れてくれるバリスタもいます。

テーブル接客、配膳、入口の案内、バリスタ……。1つの店舗だけでも、多様な業務があります。OriHimeにログインさえすれば、場所や身体の制約なく、さまざまな働き方を可能にするのです。

コーヒーを淹れてくれるバリスタ

このOriHimeは、吉藤オリィ氏がCEOを務める株式会社オリィ研究所によって、「たとえ外出困難や寝たきりになっても、誰もが社会に参加できる未来をつくる」をコンセプトに開発されたロボットです。

オリィ研究所では「OriHime」シリーズの開発のほか、「分身ロボットカフェ DAWN ver. β」の運営や肢体の不自由な方や外

出困難者向けの就労支援サービス「アバターギルド」などを手掛けています。

2020年には、オリィ研究所のコンセプトに共感した日本電信電話株式会社（ＮＴＴ）と川田テクノロジーズ株式会社から総額５億円の資金調達を行い、資本業務提携を結びました。大手企業も注目するテクノロジー企業です。

「孤独を解消する」コミュニケーションテクノロジー

人は誰しも「人とつながっていたい」「必要とされたい」と願っているのではないでしょうか？

コロナ禍による行動制限によって人とのコミュニケーションが減り、孤独を感じる人が増加したともいわれます。

厚生労働省が2021年に行なった「孤独・孤立の実態把握に関する全国調査」によると、「どの程度孤独を感じることがあるか？」という質問に対して「しばしばある・常にある」と回答した人は4.5％、「時々ある」が14.5％、「たまにある」と回答した人が17.4％という結果が出ました。３人に１人以上（36.4％）が孤独を感じることがあるという計算です。

孤独はうつの原因になるともいわれる深刻な社会問題です。社会とのつながりが絶たれてしまえば、生きる楽しみを失い、自分が必要とされていないのではないか、と虚無感にも襲われるでしょう。

オリィ研究所が目指しているのは「孤独の解消」。移動（外出）、対話（意思疎通）、役割（仕事）といった課題をテクノロジーで解決し、新しい社会参加の形を創造しています。

OriHimeの用途は多岐にわたります。当初は学校の授業に参加するようないわゆる「空間維持（すでに持っている居場所を維持）」の補助からスタートしましたが、今ではカフェなどの就労という「空間の拡張（新しい居場所づくり）」にまで進化しています。

「分身ロボットカフェ DAWN ver. β」で働くパイロットたちは就労の楽しさを味わうだけではなく、バーチャル空間でのオフ会を通してパイロット同士の交流も深めています。仲間という新しい居場所づくりにもつながっているのです。

OriHimeを使えば旅をすることもできます。2022年には和歌山県にある動物園、アドベンチャーワールドで「OriHimeワイルドアニマルツアー」が開催されました。OriHimeを遠隔操作して、普段は見られないバックヤードをオンライン上で見学したり、アニマルトレーニングに参加するというものです。

海外旅行も実現しています。写真家にOriHimeを持って移動してもらい、現地の映像や体験を共有するというイベントも開催されました。

さらにテクノロジーが進化すれば、よりリアルな体験が可能になるでしょう。動物にふれる感触や温度が感じられるようになれば、実際に動物園へ行く以上の新しい感動がありそうです。

OriHimeを使った旅行

　ロボットが生活の補助なツールではなく、自分の世界を広げる存在へと進化している。これは私が持っていたロボットのイメージを覆す、とても新鮮な発見でした。

分身としての機能でロボットの価値も変わる

　OriHimeのような分身ロボットは、無機質に感じるテクノロジーにぬくもりを与える画期的な取り組みです。

　コロナ禍では密を避けるため、大手チェーンの飲食店ではタブレットによる注文システムや、配膳用のロボットが使われるようになりました。プログラミングされたままに動くこれらの仕組みは、臨機応変な対応が得意ではありません。タブレット注文に困惑する高齢者を見かけることもあります。

158

こうした一方通行なデジタルの接客と比べると、OriHimeのように人が介在するデジタルの接客には、サービスを受ける側も大きな付加価値を感じるものです。

直接的な接触を防ぎながら、人が温かいおもてなしをしてくれる分身ロボットカフェのような形態は、社会の変化にもマッチしています。今後はさらに受け入れられやすくなっていくのではないでしょうか。OriHimeはロボットと人、それぞれの得意分野をリンクさせた新時代の働き方だといえるでしょう。

物理的な限界を超えて、身体的な障害を持つ人の人生を豊かにする分身ロボット。

社会のつながりを失い、孤独を深めるという事態は誰にでも起こりえます。障害のあるなしに関わらず、あらゆる人が新しい世界を歩むパートナーとなる日も近いでしょう。

やってみたい！ が実現する世界

☐ 行ってみたい！　夢を叶える「VR旅行」
☐ やってみたい！　夢を叶える「メタバース展示会」

 あなたが実現したいことを
想像しながら答えてみてください

・住む場所や経済的な理由で諦めていることはありませんか？
・年を重ねたら海外旅行は難しいと思っていませんか？
・長生きをすることに夢を持てますか？

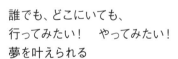

！│ メタバースで
実現できること

誰でも、どこにいても、
行ってみたい！　やってみたい！
夢を叶えられる

VRで海外旅行！　高齢者の夢を叶えるメタバース

　移動に厳しい制限が設けられたコロナ禍では、世界中の人が「会いたい人に会えない」「好きなところへ行けない」という辛さを共有しました。制限が緩和されたとき、自由に出かけられることの素晴らしさを改めて痛感したものです。

　この不自由が一生続くとしたら……。高齢者や身体的な障害を持つ方の中には、継続的に移動ができないという辛さを味わっている人がたくさんいることでしょう。「テレビで見たあの場所へ行ってみたい」「若いころに旅行したあの国へまた行きたい」そんな夢を持っている人もいるはずです。

　メタバースには、人の夢を叶える力があります。

　東京大学先端科学技術研究センターの研究者、登嶋健太さんは、ＶＲ（バーチャルリアリティ）を使った福祉施設（主に高齢者向け）のセラピープログラムについて企画・研究開発を行なっています。

　登嶋さんは過去に介護職員として働いており、当時「今の介護は要介護者を幸せにしているのか？」という課題感を持っていました。

　先述したような「外出したい」と願いながらも、叶えることのできない現実……。このギャップを埋めようと始めたのが「ＶＲ旅行」です。

デイサービスの利用者の思い出の場所へ登嶋さんが赴き、360度カメラで撮影をする。利用者はＶＲゴーグルを使い、撮影された映像を見ることで、前後左右上下、どこを見ても懐かしい景色が広がります。

　思い思いに映像を楽しみ、感動しながらいきいきと思い出話をする利用者の反応を見て「より多くの人に体験してもらおう」とクラウドファンディングを実施し、その活動は拡大。

　石垣島や屋久島、パリ、ハワイなど、日本国内から海外まで、世界中のＶＲ旅行を高齢者へプレゼントしています。

介護福祉施設で高齢者が「VR旅行」を体験

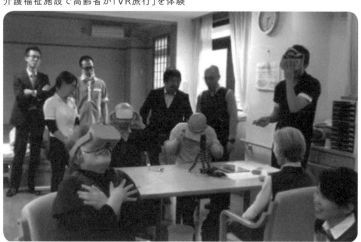

　ＶＲ旅行を体験した高齢者にはポジティブな反応が見られるといいます。普段車椅子で生活しているほうが、振り返るために思わず立ち上がったというエピソードもあるほどです。

162

※出典：「一般社団法人デジタルステッキ」ホームページ

　絶対に行けないとあきらめている人ほど、このVR体験は大きな喜びを感じるでしょう。本人から積極性を引き出し、脳を刺激する体験にもなると考えられます。

　VR旅行をきっかけに思い出を語り合ったり、新しい夢を持ったり。夢がかなうと思えば、生きる希望になります。介護の世界にエンターテイメントをもたらし、人の笑顔を生み出す。大変夢のある事例です。

　360度カメラを使うテクニックや機材のコストはかかるものの、VR旅行のような取り組みは個人レベルでもチャレンジできます。あなたが旅行先を撮影して、高齢のご家族と体験をシェアする、というのも素敵ですね。また、コロナ禍でVR旅行も広がり、さまざまなアプリやサービスも出ています。ぜひ一度、検索してみてください。

　VRというメタバースが生み出す新しいコミュニケーションの形を体験できます。

新たなファン層を獲得するメタバース展示会

　フィジカルの壁を超えるメタバースは、芸術の分野でも注目されています。次に取り上げるのは「メタバース展示会」。その名の通りVR上でアートを展示するものです。株式会社シュタインズが開催している「アート展示会」や、株式会社シュタインズの代表取締役齊藤大将（ひろまさ）さんと、VR美術館「WESON MUSEUM」

の運営もされている画家の植村友哉さんが開催しているメタバースプラットフォーム「VRChat」を使った展示会などがあります。

　バーチャル空間上の展示会は来場の自由度も高く、また表現に多様性があり、没入感を生み出せることが魅力。だからこそリアルな美術館にはない、新たな可能性に気づかされます。

　まずは「コミュニケーションの拡張性」です。齊藤さんによれば、来場者は「普段、芸術に興味のない人ばかりだった」といいます。

　リアルな美術館には足を運ばないような層がなぜ集まったのか？

　おそらくバーチャル空間ならではの「気軽さ」が影響しているのではないかと推測します。メタバース展示会であれば、いつでもどこからでも、ほんの5分だけでも、プラッとアクセスすることが可能です。SNSをチェックする感覚で「おもしろいかわからないけど、試しに行ってみよう」ということができます。

　リアルな美術館へ行くには時間もお金もかかりますし、アートに詳しくない人からすれば、一歩踏み出すのはハードルが高いのかもしれません。メタバース展示会はアートの新たなファンを獲得するという意味でも役立つ手段となりそうです。

　齊藤さんは、メタバース展示会が「異文化交流の場」としても機能していると話しています。彼の経験では来場者の2割程度は海外から来ているとのこと。バーチャル空間に国境はありません。異国のアートに触れられるだけでなく、来場者間で偶然の交流が生まれる楽しみもあります。

　さらにはメタバース展示会をきっかけに、リアルな展示会に足を運ぶようになる人もいるというのも興味深い話です。

　バーチャル空間のコミュニケーションを起点に、現実世界の接点が生まれていく。バーチャル空間は現実の代わりを果たすだけのミラーワールドではなく、現実をさらに充実させる空間へと進化していることがよくわかる事例です。

株式会社シュタインズが開催したアート展示会の様子

自己表現とビジネスフィールドとしての可能性

　ＳＮＳによって動画や画像、テキストとさまざまな方法で自己表現が可能になりましたが、メタバース展示会が普及すれば、さらにアーティスティックな活動も容易になります。

　リアルな施設で個展を開催しようとなれば、場所探しから作品の運搬といった作業が必要になり、ある程度の費用もかかります。

有名なアーティストであれば集客も期待できますが、駆け出しのアーティストや趣味で作品をつくっている人は、特定の場所に多くのお客さんを集めるというのはなかなか大変そうです。

　メタバース展示会であれば、開催のハードルも格段に低くなります。夢を追う人たちのチャンスを広げ、人生を豊かにする一助になるでしょう。

「VRChat」を使った展示会の様子

　人口減少に伴って日本の経済は衰退するといわれていますが、バーチャル空間は、こうした大きな課題を解決に導き、経済活性化の起爆剤となる可能性も秘めています。

　日本はこれからのビジネスチャンスとしてインバウンド需要に注目していますが、海外に日本ファンを増やすのであれば、国境

を持たないバーチャル空間は効果的な接点になるはずです。

　例えば、世界中の人が自由に出入りできて、日本人と交流を楽しみつつ日本文化にふれられるバーチャル空間をつくる。

　バーチャル空間でファンが増えていけば、おのずと観光客も増え、経済にもポジティブなサイクルが生まれます。

　ブロックチェーン技術でメタバースに経済圏をつくることも可能になった今。テクノロジーは私たちに新しい成長チャンスを与えてくれているように感じます。

「行ってみたい」「やってみたい」と考えていることを実践するハードルが低いメタバース。興味があるけれど、場所や費用などの制約があり諦めていたことがある方は、ぜひ一度メタバースを使って挑戦してみてください。

行政・慣習の
壁を超える

－自由な組織運営と街づくり－

ここまで「個」を変革するメタバースの例を取り上げてきました。
本章では「組織」と「街づくり」にスポットをあて、
メタバースによって「個が社会を変える可能性」
についてお話しします。

これまで街づくりは、物を建て、道路をつくるといった
ハード面に重きが置かれ、行政が主導するものでした。
しかし最近では、住民の想いを汲むソフト面の
充実が求められています。これから、行政だけに任せず、
1人ひとりが主体的に街づくりに向き合うことが、
社会をつくる原動力になります。
そして、テクノロジーの進化は、私たち個人がゆるやかに社会と
つながる手助けをしてくれます。例えば、ブロックチェーン技術に
より、誰かが管理者として権限を握る中央集権的な構造ではなく、
フラットで個が自律した組織運営（DAO）が可能になりました。

本章では、シェアハウス運営や地域課題の解決に挑戦するDAOの
事例を取り上げます。そして現実世界とメタバースをつなぐ
メタコミュニケーションが魅せる可能性の集大成として、
長野県白馬村の街づくりの様子をご紹介します。

「住む」をおもしろくする メタバース

☐ 1人で家づくりが体験できる「Nesting」
☐ 住む人が運営ルールを決める「Roopt 神楽坂」

 あなたが実現したいことを
想像しながら答えてみてください

・「自分らしく」暮らせる場所はありますか？
・賃貸暮らしに不便を感じることはありませんか？
・住まいや地域を起点とした交流に満足していますか？

 メタバースで
実現できること

自分の暮らしにあった住環境を、
自分の手で構築することができる

自分たちで家を設計するプラットフォーム

「アプリを使って誰でも家づくりができる」。そんな夢のような話が現実になりつつあります。

　建築系スタートアップのVUILD株式会社がリリースしたデジタル家づくりプラットフォーム「Nesting（ネスティング）」は、デジタルテクノロジーを用いて個人が住まいを自ら設計し、竣工まで一貫してつくり出す体験ができるサービスです。

　バーチャル空間の中で大まかな寸法を決めて外観、内装、間取りなどのイメージを作成し、理想の住まいの形を形にすることができます。

　設計した家は費用の見積もりが表示され、予算に合わせて微調整することもできます。

　イメージをもとにプロの設計士と話し合いながら形にしていき、最終的な設計データをもとに、３Ｄ木材加工機を使って家の部品を加工。組み立ては居住地域の工務店が行ない、約半年で竣工が可能です。

　このプラットフォームでは、設計と製造のデジタル化でコストを抑え、かつスピーディに注文住宅が建てられます。今までの住宅業界の常識を覆すほどの大きなチャレンジです。

　個人のライフスタイルに合ったオンリーワンの家づくりができる、ものづくりの楽しみを味わえる。ワクワク感のある未来の住まい方です。

CHAPTER 8

Nestingで住まいをつくっている様子

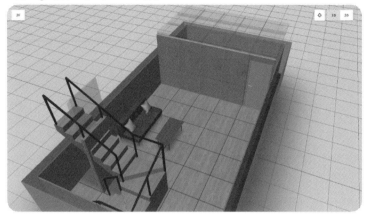

入居者が主体的に運営するDAO型シェアハウス

2022年6月、新規事業創出のスタートアップスタジオ株式会社ガイアックスと、空き家活用のシェアハウスで若者のU・Iターンを創出する株式会社巻組が、日本初※となるDAO型シェアハウス「Roopt（ループト）神楽坂」をスタートしました。

※ガイアックスおよび巻組調べ。日本ブロックチェーン協会 理事およびISO/TC307 国内審議委員の峯荒夢より、当該取り組みの前例は確認していないとのこと

通常のシェアハウスの場合は、管理運営を行なうのはオーナー（あるいは契約している管理会社）です。

ペット禁止、楽器演奏は禁止、など物件によってさまざまな取り決めがありますよね。住環境について入居者が提案するときはオーナーへ交渉する方法がありますが、入居者全体の意見を聞くことは難しいという課題がありました。

一方、DAO型シェアハウスは入居者などへNFT（トークン）を販売することでNFT保有者の組織（DAO）をつくり、運営ルールの決定をDAOが主体的に行なうというしくみです。入居希望者はトークンを購入してDAOに参加します。

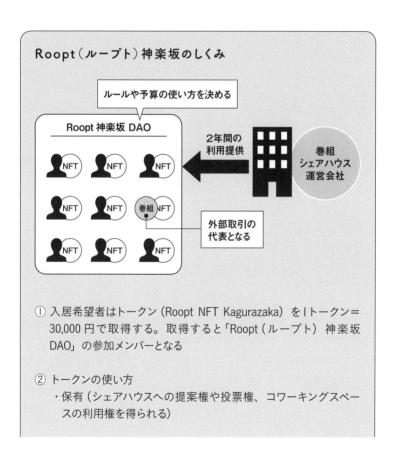

① 入居希望者はトークン（Roopt NFT Kagurazaka）を1トークン＝30,000円で取得する。取得すると「Roopt（ループト）神楽坂DAO」の参加メンバーとなる

② トークンの使い方
　・保有（シェアハウスへの提案権や投票権、コワーキングスペースの利用権を得られる）

・消費（賃貸居住（1トークンで1か月分）等※の権利と交換（消費）できる

※トークンは入居希望者以外も取得可能。トークンは居住権の他、巻組が運営する全国のシェアハウスへの宿泊権としても消費できる

③ DAO は魅力的なシェアハウスにするための運営ルールを決め、掃除や運用の業務委託や費用の割り当て、資産の購入を投票で都度決定する

シェアハウスは、株式会社巻組が運営する物件をDAOが借り上げるという形式をとります。ちなみに現在の日本の法規制ではDAOが法人格などの人格を持つことが難しいため、株式会社巻組がDAOの一員として参加し、対外的な対応を行なっています。

住む場所をつくり育てる、新しい暮らし方

DAO型シェアハウスは入居者1人ひとりが主体的に住環境の改善に取り組めるため、多様化するライフスタイルに寄り添った細やかな運営が可能になります。同時に入居者たちの間に豊かなコミュニケーションが生まれるきっかけにもなるでしょう。シェアハウス特有のコミュニティ形成という特徴も活かせます。

賃貸住宅やシェアハウスにDAOのようなしくみが増えると、単に借りている場所から「創造する場所、育てる場所」へと、見え方が変わっていくのではないでしょうか？　「住むを楽しむ」そんな新しい暮らしがイメージできます。

　最近は「ADDress（アドレス）」など、全国の空き家や古民家で多拠点生活を叶えるサブスクリプション型のサービスも人気です。

　多拠点生活にDAOを取り入れると、住みたい場所を自分で立ち上げるという楽しみ方もできますし、地域創生や街づくりの1つとして社会貢献にもつながります。「全国に自分が立ち上げに参加したシェアハウスがある」なんてとても夢がありますね。

Ｗｅｂ3で空き家活用〜シェアリングエコノミーの活性化〜

　ＮＦＴはサービス設計によって投資目的に利用される懸念がありますが、Roopt（ループト）神楽坂では、自家型前払い式という支払い手段を採用し、投資目的のトークン購入を防止しています。これは「使う分だけ前払いをして、使用量に応じて消化していく」というしくみです。

　なお保有にあたって配当は出ませんが、二次流通は可能なため、DAOの人気になれば利用権を高く売却できる可能性があります。

　DAO型シェアハウス「Roopt（ループト）神楽坂」は、対照的なジャンルの企業が協働して生まれたプロジェクトです。株式会社ガイアックスはWeb3やソーシャルメディアといった、テクノロジー活用を得意とする企業。

　一方の株式会社巻組は、空き家のリノベーションによる再活用を軸として、リアルな現場で地方創生を行なっている企業です。

巻組は宮城県石巻市を本拠地として、東日本大震災の被災地に残された空き家の再生に取り組み、次世代に生きる人たちへの幸せな暮らしにつなげようと尽力しています。

　テクノロジーとモノ（建物）づくり、そして住む人への想いがつながり、街を社会を変えていく。こうしたシェアリングエコノミーは社会を変える大きな力になっていくことでしょう。

地域を救う「デジタル村民」と FurusatoDAO（ふるさとダオ）

☐ リアル村民とデジタル村民をつなぐ「山古志 DAO」
☐ FurusatoDAO

 あなたが実現したいことを
想像しながら答えてみてください

・都心と地方の違いについて考えたことはありますか？
・地域課題は行政でなければ解決できないのでしょうか？
・故郷や好きな街の役に立ちたいと思ったことはありますか？

 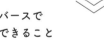 メタバースで
実現できること

移住しなくても、引越ししなくても
好きな街や役に立ちたい街の一員になって
街を盛り上げることができる

好きな街を支えたい！　限界集落を救う「デジタル村民」

　インターネット上でどこからでも参加できる分散型組織DAO
のしくみは、人口減少に悩む地方の街づくりにも希望を与えてい
ます。行政だけでなく、住民や地域に根差した民間企業が積極的
に参加し、自分たちの手で街を元気にしていく。「新しい自治の
ありかた」が芽生えつつあります。

　新潟県旧山古志村（現長岡市）の地域団体「山古志住民会議」
が2021年に始めたのが「デジタル村民」の募集です。

　村の特産であるニシキゴイのデジタルアートを「電子住民票」
としてＮＦＴ化し、販売。半年間でＮＦＴを購入した965人の
「デジタル村民」が誕生しました。この数は、現実に村で暮らす
住民数を上回る人数です。

　デジタル村民（ＮＦＴ保有者）には、一部の予算執行権限が渡
されます。デジタル村民たちは、チャットサービス「ディスコー
ド」内の専用コミュニティチャットに参加。コミュニティではＮ
ＦＴの売上の一部を活動予算として、地域を存続させるためのプ
ロジェクト案を募集します。提案は公開ディスカッションを経て
投票によって採択され、デジタル村民が地域づくりに参加できる
というしくみです。

　ＮＦＴを「電子住民票」として販売するという取り組みは、当
時世界で初めての事例として、メディアでも注目されました。現
在は長岡市公認の取り組みとして進められています。

山古志DAOのしくみ

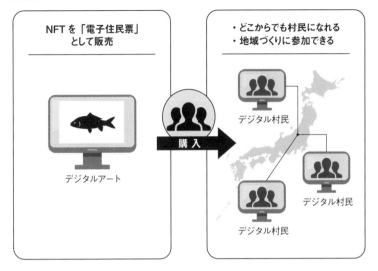

ＮＦＴがリアル村民とデジタル村民をつなぐ

　旧山古志村は人口減少が著しい限界集落。さまざまな村おこしの取り組みを行なったものの、なかなか成果が見られなかったそうです。

　―観光地化や産業、農業の振興で来訪者を増やす、村を変えることだけが正解なのか。

　村の存続が危ぶまれる中で「山古志住民会議」の人々の中に芽生えたのは「村のアイデンティティを守りたい」という気持ちでした。

　地域の文化や暮らし、ありのままの姿に共感してくれる「仲間」を世界中から集めたい。そうした発想から生まれたのが「デ

ジタル村民」でした。

　この取り組みはリアルに村で暮らす山古志住民にも広がっていきます。専用コミュニティチャットに山古志住民たちが参加してくるようになったのです。この現象をきっかけに、山古志住民会議は、デジタル村民へ「山古志住民に対するＮＦＴの無償配布」を提案。投票の結果、賛成100％で可決されました。
　山古志住民会議は山古志住民へコミュニティチャットへの参加方法などをレクチャーしながら無償配布を進め、住民の間にも少しずつＮＦＴ保有者が増えているということです。

　デジタル村民は厳密にいえばDAOと呼べる組織には至っていないのですが（DAOは「スマートコントラクト」と呼ばれるプログラムによって運営されている組織だが、デジタル村民は異なる）、実際の活動内容はすでにDAO的に機能しているといえます。
　リアルに地域で暮らす人々と、地域のファンとして、国内外から応援してくれるデジタル村民。「地域を愛する」という共通点で結ばれた人々が同じ「村民」としてオンライン上で協働する姿は、社会に貢献するメタバースの好例だといえます。

DAOの設立をめざす岩手県紫波町

　ＮＦＴやDAOなどのWeb３の利用は、日本政府も積極的に推進しており、2022年６月に閣議決定した「骨太の方針」にも、「ＮＦＴやDAOの利用等のWeb３の推進に向けた環境整備の検討を進める」という文面が盛り込まれています。

　そうした機運が高まる中、いち早く「Web３タウン」推進を発表したのが岩手県紫波町です。紫波町は国の補助金に頼らない公民連携のまちづくり（オガールプロジェクト）で有名な街。住民が集える体育館を街の中心に設立したり、サステナブルな熱源供給体制の確保、施設に地産地消の木材を使用するといったさまざまなチャレンジを行なう「行政に頼らない街づくり」が注目を集めています。

紫波町では「地域課題の解決を目指す『FurusatoDAO（ふるさとダオ）』の設立」などを掲げ、議会や住民とともに、DAOに集まる紫波町のファンなど地域と多様に関わる「関係人口」の人たちも街づくりへ参加してもらうことを目指しています。

　近年は移住ブームといわれています。都心から地方へ移り住み、新しい生活をスタートする。言葉でいうのは簡単ですが、実際には失敗している例も散見されています。都心との生活習慣の違い、密な人間関係……。移住者も受け入れる側にも大変な苦労があるでしょう。
　移住はかなり難易度が高いように思えますが、旧山古志村のデジタル村民や「FurusatoDAO」は参加にあたって精神的なハードルが低く、外部と地域をゆるやかにつなぐ橋渡しになってくれるのではないでしょうか。

　リアルとデジタル、「住民」の定義に多様性を持たせて関係人口を増やし、行政に依存しない街づくりに挑戦する。メタバースを通じたコミュニティによって、新しい自治の形が少しずつ動き出しています。
　住んでいる場所以外の街に人々がもっと関心を寄せれば、社会や環境の問題を学ぶきっかけとなります。世界各国のデジタルな住民たちが起こすアクションはＳＤＧｓ達成にもつながることが期待できます。自分の生まれ育った街、思い出の街、いつか行ってみたい街……。心に想う街の住民として街づくりに参加できる、非常にワクワク感のある取り組みです。

「補助金で豪華な施設をつくったものの、実際には誰も利用せず、盛り上がらなかった」
「観光地化を進めた結果、もともと街に暮らす人の生活が曲げられていく」

　ニュースを見ているとこうした、空しい話を聞くことがありますが、これは街に暮らす住民の想いが反映されていないことが根本原因にあるように感じます。行政に依存したり、商業的成功を目指す一方通行の施策ではなく、周囲と住民が共感でつながるコミュニケーションこそが、地域課題を解決する救世主なのかもしれません。

「ふるさと」をつくり、 「働く」を変える

□ 白馬村本屋さん復活プロジェクト

 あなたが実現したいことを
想像しながら答えてみてください

・あなたにとって"ふるさと"はどのような存在ですか？
・いま住んでいる地域の他に、思いを寄せる場所はありますか？
・人生を充実させるライフワークができていますか？

 メタバースで
実現できること

物理的な距離は関係なく、
多数の人とつながり"ふるさと"をつくりだせる

「本屋さんの復活」を目指す白馬村のプロジェクト

　メタバースは社会を変える可能性を秘めていますが、ただテクノロジーを取り入れれば何かが変わるわけではありません。これまで取り上げてきた数々の事例すべてにあてはまるのが「人と人とのコミュニケーション」が根底にあるという点です。

　最後にご紹介するのは、人々の想いがコミュニティとして街づくりを支える長野県白馬村の取り組みです。

　雄大な自然と人々が共存する白馬村は、サーキュラーエコノミー（循環型経済：廃棄を前提としない新しく持続可能な経済）への取り組み「GREEN WORK HAKUBA」が村民全体で進められるなど、街づくりに村民が積極的に参加している魅力的な村です。

雄大な自然が残る白馬村

この白馬村では、村民と白馬村のファンの協働によって「白馬村本屋さん復活プロジェクト」が進められています。

　かつて村にあった長い歴史を持つ1軒の本屋さんが2014年に廃業。それ以降、白馬村に住む人が書店に行くには長野市や大町市まで車で1時間ほどかけて出かけなければいけないという状態になってしまいました。今はインターネットで本が購入できますが、本屋さんだからこそできる自分が知らなかった本との出会いや、紙の手ざわりを楽しみながら本を選ぶワクワク感の体験が気軽にできなくなってしまったのです。

　また、この場所は単に本屋としての機能だけではなく、村民の憩いの場としても大きな役割を果たしていました。白馬村は古くから観光地として栄えており、村民の多くはペンションなどの宿泊施設を経営しています。村の子どもたちが学校から帰る時間はチェックインと重なる時間。忙しい親御さんが面倒をみられない間、子どもたちの憩いの場所となっていたのが、本屋さんでした。
　友だちとおしゃべりをしたり、迎えに来た親御さんと一緒に立ち読みしたり。村民に親しまれる温かな場所だったのです。

　店長さんの息子である福島洋次郎さんは、現在、白馬村観光局の局長として村の活性化に尽力しています。廃業から数年が経ち、本屋さんは知のインフラであることはもちろん、村にとっていかに大きな存在であったかを思い知ったといいます。

「白馬村に本のある風景を復活させたい！」その想いをきっかけに立ち上げたのが「白馬村本屋さん復活プロジェクト」でした。

　廃業した本屋さんの建屋をＤＩＹで改築し、古書店、カフェ、宿泊施設の複合文化施設「Re:Public（リパブリック）」として生まれ変わらせようというプロジェクトです。

　建屋の再利用する、新刊ではなく古本を扱う。このリユースのしくみは、自然を愛しサステナブルな発想を大切にしている白馬らしさを体現したもの。「Re:Public」という名前の由来は独立性という意味の「共和国」と「公共を取り戻す」という意味を掛け合わせています。

　村民の憩いの場所としては、白馬村を好きになり遠くから足を運んでくれる人たちとの交流の場として、そして子どもたちの未来を応援する場所として。何度も訪れたくなるような「本のある場所づくり」は2020年にスタートしました。

　プロジェクトは廃業した空き店舗の活用方法について悩んでいた福島さんが、地域創生などをライフワークとし、福島さんとは白馬のトレイルランニング大会の実行委員の仲間であり、リノベーションやコミュニティ運営のノウハウを持っていた田中直史さんにその活用方法について相談したことから始まります。

　どうせ空き店舗活用をやるのだったら村にとって良い事をしましょうよ、たとえば本屋さんを復活とか。

　その田中さんのひと声で2人は意気投合します。

本屋さんでは収益面の確保が難しいから、宿泊事業をセットにしてその収益の原資を知のインフラの維持に充てる、交流の起点が必要だからカフェも併設した複合施設にしよう。そんな活発な議論を重ねてプロジェクトが具体化していきました。

　村民の福島さんと村外の田中さんの2人ではじまったプロジェクト。3人目のメンバーとして参加したのは村外から村民になったRidgelinezの仲間でもある斉藤裕介さんです。
　もともとは田中さんの誘いで白馬のトレイルランの大会を手伝うようになった事がきっかけで白馬村に通うようになった斉藤さんですが、最終的には白馬村に移住するくらいのこの土地への惚れこみようで、それぞれが白馬村へ熱い想いを持ってプロジェクトに取り組んでいます。

消費される街ではなく共同体。テクノロジーの前に大切なこと

　このプロジェクトを知り、私も何度も白馬に足を運んでいます。実際に立ち上げた3名に、直接お話を聞いたり、建屋のDIYに参加させてもらったり。近くでプロジェクトを見ていると、これこそがメタバースそのものだと感じることが多々あります。
　例えば、プロジェクトはクラウドファンディングを行ない、活動の輪を広げています（2023年1月現在）。個人が気軽に出資できて、住む場所を問わず好きなコミュニティに参加できるクラウドファンディング。
　これもまた1つのメタバースだといえるでしょう。

　ただ、立ち上げ段階ではあえてクラウドファンディングを使用しませんでした。「話題性があれば支援は集まる。でもそれだけでは一過性のもので消費されて終わってしまう」過去の活動でクラウドファンディングをローンチした経験のある田中さんは、その難しさを熟知していたのです。

　３人が一番大切にしたのは「白馬の人に喜んでもらうこと」。村民からの共感を得ることなく、外部の人間だけで盛り上がったとしてもサステナブルな地域創生にはならない、というのが共通意見でした。
　そこでまずは村民に理解してもらうことをめざし、コツコツと建屋をＤＩＹで改築することからスタートしたのです。

塗装の様子

かつて建屋には1階に本屋さん、2階には歯科が入っていましたが本屋さんの後に歯科も廃業。残された建屋は廃墟のような状態でした。

　壁を壊し、天井を取り外し、1つひとつがすべて手作業で行なわれました。歯科で使われていた温水器から溜まっていた水が噴出して大洪水になりかけたこともあったそうです。

　バブル期に建てられたこともあり、ビルと同じような頑丈な鉄骨が使われていることもわかりました。私も現場に参加させてもらったのですが、天井から出てきた赤い無骨な鉄骨はスタイリッシュでかっこいい！　ＤＩＹは建物への愛着が湧いてくるものです。

　もともとは立ち上げメンバーの3人やその友人から始めた改築作業ですが、ＳＮＳで発信することで次第に輪が広がっていきました。白馬に暮らしている人、白馬に遊びに来ていた人、小さなお子さんから50代まで年齢もさまざまです。

　プロジェクトのうわさが広がり、白馬村で暮らす人からぞくぞくと協力者が現れるようになりました。

　クラウドファンディングの推薦者には白馬村の名物店の店主たちや移住者の顔が並んでいます。「Re:Public」が白馬村で暮らす人も白馬村を好きな人も、みんなから期待される存在に。共感の輪が広がり、村の一大プロジェクトへと成長していきました。

本屋を中心とした「自然に溶け込むダイバーシティ」

　ＤＩＹに参加した人々が年齢も性別も、住むところも違う人で
あったように、このプロジェクトでは共感をきっかけに、多様性
のあるコミュニティが生まれているのも素晴らしい点です。

　立ち上げメンバーの斉藤さんは義足で生活しており、仕事でも
障がい者雇用の啓発に力を入れています。

　「『Re:Public』を障がいの有無などは関係なく、みんなが心地よ
く感じる空間にしていこう」

　と、プロジェクトではバリアフリー化を中心に担当しています。

　また「Re:Public」のロゴはグラフィックデザイナーとして活
躍する、ろう者の岩田直樹さんがデザインしたものです。

　ロゴは本と建物、家、白馬村から見える山の形を掛け合わせて
デザインされました。さまざまなバックグラウンドを持つ多様な
人々が自然な形で協働し、プロジェクトを支えています。

「Re:Public」ロゴ

191

本棚はメタバース。新しいつながりが生まれる空間

　本屋さんは選書が大事といわれますが「Re:Public」ではユニークな選書の方法を採用しています。

　1区画（幅30cm×縦34cm）ごとにさまざまな人に本棚のオーナーになってもらい、思い思いの本を並べて販売してもらうのです。

　例えば「エンジニアは何を読んでいるか？」「東京に住んでいる人はどんな本を読んでいるのか？」というように、「Re:Public」に訪れた人は本を通して、どこか遠くで暮らす人との交流も楽しめるというしくみです。こうしたしくみはブックアパートメントとも呼ばれ、都心でも人気が広がっています。

本棚

　田中さんいわく、このしくみは本棚のオーナーにとってもう1

つの「自分の居場所」のような感覚になるといいます。

　東京に住む人がオーナーになったら、天気予報を見るときに白馬村が気になったり、旅行にいくとなったら白馬村を選んだり。本棚をきっかけに白馬村に想いを馳せる人が増えれば、観光としての側面にもいい影響がでるでしょう。

　本棚のオーナーとプロジェクトメンバー、そして白馬村で暮らす人々、三者が交わる接点ができるしくみ。本棚を通してコミュニケーションが行なわれる空間は、バーチャリティのある1つのメタバースだといえるのではないでしょうか。

　「Re:Public」は、2023年内に開店予定。非常に楽しみです。

メタバースから考える「ライフワーク」と「ライスワーク」

　物理的な制約から解放されるメタバースは、働き方、ライフスタイルにも自由をもたらします。

　これだけ大掛かりなプロジェクトですから手間も時間もかかりますが、立ち上げメンバーのみなさんは100%の時間をプロジェクトにつぎ込んでいるわけではありません。

　福島さんは白馬村観光局としての仕事をしながら運営していますし、田中さんは東京で暮らしながらこのプロジェクトをリードし、他にもさまざまな地域創生関連のプロジェクトなども手掛けています。斉藤さんは白馬村に住みプロジェクトを手掛けるかたわら、リモートワークでRidgelinezの仕事にも従事しています。

　3人の働き方を支えているのはリアルとバーチャルの融合が生

み出すコミュニケーションの拡張、つまりメタコミュニケーションです。

数年前に勤めていた会社を退職し、独立して活動している田中さんは、独立を決めたきっかけについてこのように話します。「生活するための仕事だけでなく、世の中の人のために時間を使おう。これからは与える側になろうと決めたんです。ライフワークとライスワークの比率を7：3、8：2くらいで時間をコントロールしてやろうと」。

自分の意思で始める、人生を豊かにするためのライフワークと、生活していくために必要なライスワーク。自分が望むバランスで取り組めている人はどれくらいいるのでしょうか。さまざまな制約が邪魔をして、ライスワークに集中せざるを得ない人がたくさんいるはずです。

メタバースを活用すれば、あらゆる人がそのバランスを変えられるかもしれない、と私は確信に似た想像をしています。

「好きなことにチャレンジしたい」
「社会の役に立ちたい」
「後悔のない人生を送りたい」

年齢も住む場所も障がいも経済的な事情も問わず、豊かに生きるチャンスをくれるのではないかと。

人生の新しいページを紡ぐメタバース。

あなたはどんなストーリーを描きますか？

エピローグ

　ここまで「親子や世代の壁」「立場の壁」「国境の壁」「メンタルの壁」「フィジカルの壁」「行政・慣習の壁」を超えるメタバースの事例をたくさん紹介してきました。

　メタバースが私たちに優しく寄り添い、生活を豊かにしてくれるものだということが伝わったのではないでしょうか。

　テクノロジーの進化で新しいツールが登場すると、"将来、仕事を奪われるのではないか""ＡＩに支配される時代が来るのではないか"と人間が恐怖心を抱く存在になってしまうことが多いように感じます。

　しかし、テクノロジーの進化を長年見てきた私は「テクノロジーの進化は人間にとって脅威ではなく、むしろ支援してくれるもの」と考えています。

　テクノロジーの進化によって、自分が生きやすい場所を見つけたり、自分の感情に素直になったりする。人とのつながり、コミュニケーションがポジティブに変化し、人と人との理解が深まる。

　「メタコミュニケーション」という新しいフレームワークを考えたのも、メタバースがコミュニケーションの幅を広げ、Well-being（ウェルビーイング）な世界をつくるといった、メタバースが持つあらゆる可能性を伝えたいという想いからです。

メタコミュニケーションの世界を知ることで、あらゆる制約で不可能だとあきらめていたことでも、紹介した事例を参考にしながら「メタバース」という優しいツールを使って一歩踏み出してチャレンジしてみてほしいと思います。

　そして最後にもう１つ、すぐに一歩を踏み出すためのツールとして「はじめに」でも少し触れたChatGPTについて、改めて紹介します。

　ChatGPTが、これまでのＡＩと大きく違うのは"あいまいさ"です。
　従来のＡＩは正しい答えを導き出すためのツールとして使われていました。私たちはＡＩから正確な答えをもらうために、妥当なキーワードを考えＡＩに問いかけたり、プログラミングを構築したりする、例えるなら、先生と生徒のような関係です。
　しかしChatGPTは、あいまいに問いかけても答えてくれるため、上下関係は一切生じず、まるで友だちのような関係で触れることができるのです。

「メタバースで僕たちのコミュニケーションはどう変わると思いますか？」
　これに対するChatGPTの答えを「はじめに」では一部のみご紹介しましたが、実際の全文は次のページのものでした。みなさんも、この本の内容を念頭に置きながらChatGPTの回答を読んでみてください。

みなさんも、この本の内容を念頭に置きながらChatGPTの回答を読んでみてください。

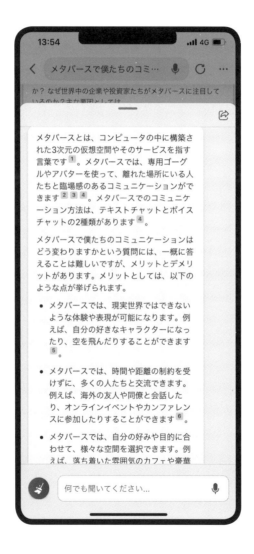

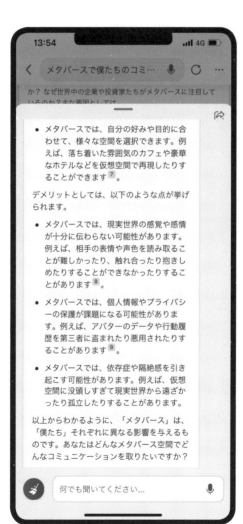

か？ なぜ世界中の企業や投資家たちがメタバースに注目して
いるのか？主な要因としては、

- メタバースでは、自分の好みや目的に合
  わせて、様々な空間を選択できます。例
  えば、落ち着いた雰囲気のカフェや豪華
  なホテルなどを仮想空間で再現したりす
  ることができます [7] 。

デメリットとしては、以下のような点が挙げ
られます。

- メタバースでは、現実世界の感覚や感情
  が十分に伝わらない可能性があります。
  例えば、相手の表情や声色を読み取るこ
  とが難しかったり、触れ合ったり抱きし
  めたりすることができなかったりするこ
  とがあります [8] 。

- メタバースでは、個人情報やプライバシ
  ーの保護が課題になる可能性がありま
  す。例えば、アバターのデータや行動履
  歴を第三者に盗まれたり悪用されたりす
  ることがあります [9] 。

- メタバースでは、依存症や隔絶感を引き
  起こす可能性があります。例えば、仮想
  空間に没頭しすぎて現実世界から遠ざか
  ったり孤立したりすることがあります。

以上からわかるように、「メタバース」は、
「僕たち」それぞれに異なる影響を与えるも
のです。あなたはどんなメタバース空間でど
んなコミュニケーションを取りたいですか？

何でも聞いてください…　🎤

いかがですか？　最後の１文「あなたはどんなメタバース空間でどんなコミュニケーションを取りたいですか？」に対する答えを導き出すためのヒントを、この本で紹介した事例からたくさん得られたのではないかと思います。

　さらにここでは、ｐ199の画面の途中から始まるデメリットから、ＡＩとのかかわり方について少し考えてみます。
　ChatGPTの回答にあるデメリットを読んだとき私はこのように感じました。"この特性のおかげで生きやすい人もいるのではないか？"と。
　例えば、デメリットの１つめで書かれている現実世界の感覚や感情が十分に伝わらない可能性。
　メタバースの特性として、そのような可能性があることももちろん考えられますが、６章で紹介した、セカンドライフやアバターを使った就労支援の事例では、感覚や感情が十分に伝わらないことがポジティブに働き、生きやすさや自分らしさを実現していたとも考えられます。

　このように、ChatGPTはウェブ上にあるさまざまなメディアや個人の意見を人間のように編集して教えてくれるものだと捉えています。「絶対に正解」というものではありません。そしてこれこそが、これまでの人間とＡＩの関係性を大きく変えた"あいまいさ"です。
　私たちのあいまいな問いに対して、ＡＩもアクセス可能な情報からあいまいに回答してくれる。その回答に対して、私たちはさ

らにＡＩに問いかける……。

　ふだん友人と会話をしているのと同じように、ＡＩとコミュニ
ケーションをとることが可能になったのです。

　このテクノロジーの進化がどれほどすごいことなのか、長年の
ＡＩの研究者、坂本航太郎さんにお話を聞く機会がありました。

　坂本さんは、「ChatGPTのようなＡＩを使って、私たちがやり
たいことをやるっていうのがいいと思います。それによって人間
が何をやりたいんだっけ、という自分らしい感覚や価値観に立ち
返ることができるのです」と話され、そのすごさをスピード面と
内容面の２つの側面から教えてくれました。

　まずスピードの面では、例えば100年くらい前に産業革命が起
きて、家内制手工業だったものが工場で機械を使ってオートメー
ション化されていきましたが、これは数十年で起きた変化です。
それに対してChatGPTは１年で同じくらいの変化が起きている
ということ。

　次に内容面でも、私たちの生活を一気にデジタル化させたス
マートフォンであっても、インターフェイスとしてはコンピュー
タにデータなどをインプットする必要があり、人間とコンピュー
タの関係を変えるものではありませんでした。それに対して
ChatGPTは、私たちが自然にコミュニケーションをとる形を
もってデジタルと対話することができてしまう。これまでは一生
懸命コンピュータに話しかけていたものが、コンピュータが私た
ちの言語を覚えてくれて、対話できるようになった、というス
マートフォンの登場よりすごい変化が起きようとしている、とい
うこと。

ＡＩのプロフェッショナルである坂本さんが「ＡＩってこんなことできたんだ、と本当におもしろいんです」と明るくお話ししてくれました。

　私は坂本さんとお話をしていて、最先端のテクノロジーの技術によって、「自分たちはいったい何がしたかったんだっけ」という問いをもたらしたことに、大変面白みを感じました。

　この本で紹介してきた事例は、メタバースによって起きたコミュニケーションのパラダイムシフトを体現しているものばかりです。そして、そのパラダイムシフトの中で、ChatGPTという対話型ＡＩが登場しました。これにより、ＡＩから正解を教えてもらうだけではなく、ＡＩとともに「自分が何をしたいのか」考えて行動する時代へと変わってきています。

　ぜひ、ChatGPTから正解を導き出そうとするだけでなく、"対話"をしてみてください。

「それって具体的にどういうこと？」と問いかけてみたり、「なかなかいいこというじゃん！」と感想を伝えてみたり……。

　新たな、そして身近な相談相手としてChatGPTに触れてみると、暮らしがより楽しく豊かになるはずです。

　ＡＩの進化によって、ChatGPTのほかに、最近ではイラスト自動生成アプリも使われるようになりました。

　生成したいイラストに関するキーワードを入力すると、ＡＩが

キーワードのイメージに沿ったイラストを生成してくれるという
ものです。

　今は人間の思い描くイメージとはかけ離れたものが出来上がる
こともありますし、私たちの指示方法（キーワードのチョイス）
にも訓練が必要ですが、ＡＩが学習を深めれば深めるほど、イ
メージ通りのイラストが生成されるようになるでしょう。

　ゆくゆくは、あなたの手で完全オリジナルのアバターをつくる
日も近いのではないでしょうか？

　メタコミュニケーションによって「自分がやりたいことは何
か」見つけて実践する時代。

　テクノロジーは、あなたのことを支援してくれる存在なのです。

おわりに

　この本の出発点になっている言葉は「仮想より愛をこめて」。

　これは、2020年3月に私がExecutive Producerとして関わった「以心伝心Borderless Live 5 G」という日本と中国のバーチャルアイドルをお招きしたライブのエンディングノートです。

　このライブは、当初「観客を入れて、バーチャルとリアルを融合したライブ」を予定していましたが、コロナ感染で欧米諸国ではロックダウンが始まり、「リアルなライブ会場を使った観客無しの完全バーチャルコンサート」に急遽変更となりました。

　ライブ当日。私は観客を入れる予定だった会場からライブを視聴しました。バーチャルアイドルが歌い始めた瞬間、バーチャルやリアルといった一般的な枠組みを超えて、自分の空想の世界では「確かにここにリアルな存在がある」という実感があり、ここから"現実世界の課題もメタバースを使えば解決できるのでは？"という私の思考の旅が始まりました。

　このライブに出会う前、私は2012年から2019年までヨーロッパを拠点として日本と関わっていました。ちょっと距離を置いて日本を見てみると、同質性が高く、ある種の外圧のようなものが無いと、社会が変革するチャンスは無い……。と少し悲観的に考えていました。

　しかし、2020年に思考の旅のきっかけとなったライブと出会い、そして「コロナ禍」という想像を超えたパンデミックが世界

でほぼ同時に発生し、仕事もプライベートもリモートという私たちの生活スタイルを根本的に変える外圧が生れました。

Ridgelinezで取り組んでいるＤＸ（デジタルトランスフォーメーション）の本質は、デジタル技術を使って、どのように社会を変革していくことができるか。その結果、わたしたちの生活をどのように豊かにしていくことができるかに尽きると思っています。「コロナ禍」という言葉を日々耳にするようになった2020年の世界幸福度ランキング（SDSN）で日本は62位、同じ年のジェンダーギャップ指数（WEF）は120位と世界主要国で最下位でした。「コロナ禍」が外圧の役割を果たしてくれたら、日本の社会を大きく変革させるチャンスがあるのではないか。そんなことを考えながら、メタバースを使って私たちの生活空間を変容させ、もっと幸福で生きやすい社会をつくるために何ができるかというテーマで、コンサルティングファームとしての発信を始めました。

また、思考の旅を続けながら過ごした2020年のコロナ禍、Ridgelinezでは「コロナの壁」を超えるために様々な試行錯誤を行ないました。その中で、例えばSlackを使ったコミュニケーションの円滑化も、私たちのコミュニケーションを拡張する観点ではメタバースの活用だと考えました。

そして、他にも身近にメタバースを使ってwell-beingを高めている事例はあるのでは？　と着想し、Ridgelinezでの経験を起点として、この本では多くの方への取材、リサーチを行ない、ここまで辿り着くことができました。

　私をメタバースの旅に誘ってくれたNTTドコモの副島義貴様、NILLの清水祐輔様、草稿段階の私のアイデアを膨らまし、整理するディスカッションパートナーとなってくれた立野真希様、海谷真理様、小田切夕起様、出版と編集にご協力頂いた杉野遥様、日本実業出版社の前田千明様、そして日々私に刺激を与えてくださるクライアント、パートナーの皆さんに感謝申し上げます。

　魅力的な出版・編集チームの強力なサポートで、私のメタバースの捉え方が拡張され、"あっ！　もしかしてこれもメタバースの事例かもしれない！"という多くの気づきをもらい、読者の方々に明日から使ってみていただけるメタバース事例を多くお届けすることができたように思います。

　この本を手に取ってくださった読者の皆様にとって、これまでとちょっと違った考え方をしてみたい、そして何より、皆さんが「明日は一歩前進できる気がする」と思っていただけたのであれば、日々「もっとこうしたい」という想いを実現しようと努力している仲間の1人としてとても嬉しく思います。

　メタバースが皆さんの「となりのメタバース」となり、最先端のデジタル技術が人間を代替するものではなく、人間に寄り添い、ともに人生を楽しむ友人であることを、現代社会にともに生きる1人としてこれからも実践を通じ皆さんにお伝えしていければと思います。

著者

佐藤 浩之 （さとう ひろゆき）

Ridgelinez シニアアドバイザー。ブロックチェーンベンチャー Digital Platformer アドバイザー。東京大学経済学部卒業。ニューヨーク大学経営大学院スターン校卒業。約25年にわたり、通信業界において放送と通信の融合や、モバイルペイメント事業、アジアでのJV運営などの新規事業立ち上げに関わる。NTTドコモの海外子会社CEOを歴任後、日本本社のマネージング・ディレクター、グローバル・パートナーシップ＆イノベーション責任者として、ＮＴＴドコモが手掛ける世界中のＺ世代に寄り添うＶTuber「Tacitly」運営などに携わったのち現職。身近な事例をもとにしたメタバースの概念を研究しており、メタバースがひらく well-being なスマートシティ、新たな時代のコミュニケーションの在り方、Web３のもたらすパラダイムシフトに関する発信を積極的に行なう。

メタバースで僕（ぼく）たちのコミュニケーションはこんなふうに変（か）わる

2023年5月1日　初版発行

著　者　佐藤浩之 ©H.Sato 2023
発行者　杉本淳一

発行所　株式会社日本実業出版社　東京都新宿区市谷本村町3-29　〒162-0845

編集部　☎03-3268-5651
営業部　☎03-3268-5161　　振　替　00170-1-25349
　　　　　　　　　　　　　　https://www.njg.co.jp/

印 刷・製 本／中央精版印刷

ISBN 978-4-534-06013-6　Printed in JAPAN

この1冊ですべてわかる

新版
ITコンサルティングの基本

克元 亮（編著）
定価1980円（税込）

AI、IoT、デジタルマーケティングなど新たな情報を盛り込みITコンサルティングのすべてを網羅。ITコンサルタントとして新たな一歩を踏み出す方にぜひ手に取ってほしい1冊。

担当になったら知っておきたい

中堅・中小企業のための
「DX」実践講座

船井総合研究所
デジタル
イノベーションラボ
定価2200円（税込）

中小企業の成長支援に強みをもつ船井総研のデジタル担当チームが、独自のDX導入計画策定ツールを使って、目標設定の仕方からプロジェクトの進め方まで解説。

格差と分断の社会地図
16歳からの〈日本のリアル〉

石井光太
定価1870円（税込）

貧困、虐待など、日本に巣食う問題を取材し続けるノンフィクション作家が語る。生まれた「階層」によって一生が決まる格差社会の問題点と、今、わたしたちができること。